中華國學經典百部

精華本

龙文鞭影

〔明〕萧良有 著
焦亮 注

中国书店

图书在版编目（CIP）数据

龙文鞭影 /（明）萧良有著；焦亮注．—北京：中国书店，2023.10

（中华国学经典百部：精华本）

ISBN 978-7-5149-2963-8

Ⅰ．①龙… Ⅱ．①萧… ②焦… Ⅲ．①古汉语—启蒙读物 Ⅳ．① H194.1

中国版本图书馆 CIP 数据核字（2022）第 075469 号

龙文鞭影

〔明〕萧良有 著　焦亮 注

责任编辑：张菁

出版发行：中国书店

地　　址：北京市西城区琉璃厂东街 115 号

邮　　编：100050

电　　话：（010）63171753（总编室）

　　　　　（010）63017857（发行部）

印　　刷：三河市嘉科万达彩色印刷有限公司

开　　本：787mm × 1092mm　1/32

版　　次：2023 年 10 月第 1 版第 1 次印刷

字　　数：139 千

印　　张：6（全 300）

书　　号：ISBN 978-7-5149-2963-8

定　　价：1490.00 元（全 50 册）

前言

《龙文鞭影》原名《蒙养故事》，原作者是明万历年间著名学者萧良有，后经安徽人杨臣诤加以增订，改名《龙文鞭影》。龙文，是古代的一种良马，这种马见到鞭子的影子就会急速奔跑，本书书名体现了作者对少年儿童的寄望，作者希望每一个青少年从看这本书开始，走上成为“宝马良驹”的道路。

萧良有（1549—？），字以占，号汉冲，汉阳人，自幼聪颖异常，有“神童”之誉。明万历八年（1580）登进士第，进翰林院任修撰之职，后任国子监祭酒，声极一时。国子监是封建时代国家最高学府，祭酒相当于现在的校长。萧良有以祭酒之职亲自撰写蒙书，足见那时人们对蒙学教育的重视程度。除本书外，他的其他著作全部收录于《玉堂遗稿》中。

本书通用四言，皆为短句，且上下对偶，以二十四史中的人物典故为主要内容，逐联押韵，全书按韵编排，是一本重要的蒙学读物。全书故事包罗万象，从《庄子》至古代神话、小说、笔记，如《搜神记》《列仙传》《世说新语》等书均成为其故事出处。历史上许多著名人物，如孔子、诸葛亮、司马迁、李白、杜甫、朱熹等人的逸闻趣事，都被辑录于其中，并包含孟母断机、毛遂自荐、荆轲刺秦、鹬蚌相争、董永卖身、红叶题诗等两千多个典故以及各类自然知识，文字简练扼要，故事梗概简明，称得上是一本“典故大全”。

《龙文鞭影》在众多儿童启蒙典籍中，是掌故、知识类蒙书的代表。与传统的《三字经》《百家姓》《千字文》相比，它在知识性和趣味性上更强，而与“四书五经”等典籍相比又较为易懂，可谓是蒙书中承上启下的经典书籍。

随着国学热的兴起，《龙文鞭影》成为当代青少年阅读的良好选择。青少年在了解中国历史人物、典故、风俗的同时，能够从中学习到做人做事的道理，提高个人的品德修养。

最后，本书注解用词精练，言简意赅，以表达思想观念为本，对于每一个历史故事的前因后果未能翔实写尽，编者建议读者在阅读中遇到感兴趣的地方时自己查阅相关资料，以掌握更详细的中国传统文化知识。

目录

卷　一

一　东……………………………001
二　冬……………………………011
三　江……………………………015
四　支……………………………019
五　微……………………………033
六　鱼……………………………036
七　虞……………………………042

卷　二

八　齐……………………………051
九　佳……………………………055
十　灰……………………………057
十一　真…………………………062
十二　文…………………………069
十三　元…………………………073
十四　寒…………………………078
十五　删…………………………087

卷　三

一　先……………………………………091
二　萧……………………………………102
三　肴……………………………………106
四　豪……………………………………110
五　歌……………………………………117
六　麻……………………………………122
七　阳……………………………………128

卷　四

八　庚……………………………………141
九　青……………………………………153
十　蒸……………………………………156
十一　尤…………………………………159
十二　侵…………………………………169
十三　覃…………………………………176
十四　盐…………………………………179
十五　咸…………………………………183

卷一

一东

粗[1]成四字，诲[2]尔[3]童蒙[4]。

【注释】

①粗：粗略，简单。

②诲：教诲。

③尔：你，指代阅读本书的人。

④童蒙：正处在启蒙阶段的儿童。

经书[1]暇[2]日，子史[3]须通。

【注释】

①经书：儒家经典。

②暇：空闲时光。

③子：指诸子百家。史：指各种历史书籍。

重华大孝[1]，武穆精忠[2]。

【注释】

①重（chóng）华大孝：典出《孟子》。舜年轻时，多次被自己的父亲、后母和弟弟谋害，但他在逃生后依然真心孝顺父母，友爱兄弟。古人认为舜是“孝”的典范。重华，舜。

②武穆精忠：典出《宋史·岳飞传》。宋高宗召见岳飞，了解到岳飞背上刺有“精忠报国”四个字，深表赞扬，于是亲手写下“精忠岳飞”四个字作为军旗，令岳飞统领岳家军以及其他军队。武穆，岳飞。

尧眉八彩[①]，舜目重瞳[②]。

【注释】

①尧眉八彩：据《春秋纬元命苞》。传说尧的眉毛有八种颜色。

②舜目重瞳：据《尸子》。传说舜的眼睛有两个瞳孔。

商王祷雨[①]，汉祖歌风[②]。

【注释】

①商王祷雨：据《吕氏春秋》。汤攻灭夏桀后，华夏地区连续出现五年大旱，太史认为多次向上天祈雨而无效的原因是祭品不佳，应当以人为祭品。商汤不忍心杀害他人，于是以自己为祭品，在桑林求雨，祈祷结束后天降大雨。因此，古人认为上天是被商汤不忍杀人的仁慈感动而降雨解救旱情。

②汉祖歌风：典出《史记·高祖本纪》。汉高祖刘邦统一天下之后，荣归故里与父老乡亲饮酒。宴会中，他高唱道："大风起兮云飞扬，威加海内兮归故乡，安得猛士兮守四方。"后人将这首歌命名为《大风歌》。

秀巡河北[①]，策据江东[②]。

【注释】

①秀巡河北：典出《后汉书·光武帝纪》。光武帝刘秀起初拥护更始帝，参加起义军反抗王莽，随后奉命巡查黄河以北地区，在此地受到百姓的支持，并以此地为根基统一全国，建立东汉政权。

②策据江东：典出《三国志·吴书》。东汉末年，孙策占据江东，死后由其弟孙权继承权力，最终建立了东吴政权。

太宗怀鹞[①]，桓典乘骢[②]。

【注释】

①太宗怀鹞（yào）：典出《隋唐嘉话》。某次唐太宗玩鹞，恰

逢魏徵奏事，唐太宗担心魏徵说自己玩物丧志、不理朝政，于是将鹞藏在怀里。魏徵知情后并不点破，而是故意拖延奏事时间，最终导致鹞闷死在唐太宗的怀里。

②桓典乘骢（cōng）：典出《后汉书·桓典传》。东汉御史桓典不畏权贵，经常上书抨击权势者的恶行。桓典经常骑着一匹骢马，当他外出时城中权贵纷纷避开。

嘉宾赋雪[1]，圣祖吟虹[2]。

【注释】

①嘉宾赋雪：典出《雪赋》。西汉文帝之子梁王与众宾客在兔园赏雪时，命司马相如作赋咏雪。

②圣祖吟虹：典出《碧里杂存》。朱元璋微服出巡时，随口作了咏彩虹的两句诗，偶遇的彭友信立刻后续两句，朱元璋大赞其才，次日便召他入朝为官。

邺仙秋水[1]，宣圣春风[2]。

【注释】

①邺仙秋水：典出《邺侯外传》。贺知章看到少年李泌，称其眼如秋水般明净，必是宰相之才，后来应验。

②宣圣春风：典出《尚友录》。汉武帝询问东方朔孔子和颜回谁的道德更为高尚，东方朔将颜回的道德比喻成让整座山都芬芳的桂树，将孔子的道德比喻成抚慰万物的春风。

恺崇斗富[1]，浑濬争功[2]。

【注释】

①恺崇斗富：典出《世说新语·汰侈》。西晋时期王恺和石崇比富，晋武帝赐给王恺一棵两尺多高的珊瑚树，石崇看后故意将其打碎，不待王恺发怒，便扬言还他一棵。后来，石崇的仆人从家中搬出的三四尺高的珊瑚树就有六七棵，如王恺拿来炫耀那棵一样的还有很多。

②浑濬（jùn）争功：典出《晋书·王濬传》。西晋时期，在灭吴战争中，王浑先攻打吴军但不敢过江，而王濬则率先过江攻入吴国都城。后来，二人向晋武帝互报对方短处，为自己争功。

王伦使虏[1]，魏绛和戎[2]。

【注释】

①王伦使虏：典出《宋史·王伦传》。王伦奉命到金国议和并接回被俘虏的宋徽宗和宋钦宗，不料金国背信弃义，反而将王伦扣留。最终，宁死不肯投降的王伦被金人杀害。

②魏绛（jiàng）和戎：典出《左传·襄公四年》。戎族想与晋国议和，而晋国国君认为戎族不可信。魏绛向晋国国君阐述与戎族和睦相处的好处，最终促成了议和，换来了和平。

恂留河内[1]，何守关中[2]。

【注释】

①恂留河内：典出《后汉书·寇恂传》。刘秀攻下河内郡后继续北上，令寇恂留守河内。寇恂不但镇守有力，还为刘秀军队提供粮草，深得刘秀赞赏。

②何守关中：典出《史记·萧相国世家》。刘邦与项羽征战，派萧何辅佐刘盈留守关中，而萧何为刘邦提供补给是刘邦战胜项羽的关键，刘邦一统天下后称赞萧何为“第一功臣”。

曾除丁谓[1]，皓折贾充[2]。

【注释】

①曾除丁谓：典出《宋史·丁谓传》。北宋时期，宰相丁谓权倾一时，专横跋扈。当时，官员迫于丁谓权势不敢进言，当时王曾为参知政事（副相），他设法求得与垂帘听政的刘太后单独交谈的机会，揭发了丁谓的罪行，丁谓遂被罢免。

②皓折贾充：典出《资治通鉴·晋纪》。晋灭吴后，吴王孙皓被迫朝见晋武帝时，西晋大臣贾充嘲讽他说：“听说东吴有挖眼和剥

脸皮的刑罚，犯了什么罪要处以这样的刑罚？”孙皓不卑不亢地回答：“臣子谋逆刺主者。”贾充一时语塞，因为世人都知道贾充杀害曹魏君主的劣迹。

田骄贫贱[1]，赵别雌雄[2]。

【注释】

①田骄贫贱：典出《史记·魏世家》。战国时期，学者田子方对魏太子不够尊敬。魏太子问他什么样的人可以骄傲地对待别人，田子方回答说是贫穷的人，因为只有贫穷的人不担心失去什么，反而是贵族担心失去地位，而富人担心失去金钱。

②赵别雌雄：典出《后汉书·赵温传》。东汉赵温感慨：“大丈夫不应居于人下，而应奋发图强。”最终辞官回家。

王戎简要，裴楷清通[1]。

【注释】

①王戎简要，裴楷清通：典出《世说新语·赏誉》。王戎和裴楷年少时一起拜会大臣钟会，事后他人询问钟会对二人的评价，钟会说道：“裴楷内心清明而外表通达，王戎深懂礼法而行事简约。”

子尼名士[1]，少逸神童[2]。

【注释】

①子尼名士：典出《晋书·蔡谟传》。王澄途经蔡克的家乡时，被告知当地有蔡子尼和江应元两个名士。

②少逸神童：典出《诗话总龟·幼敏门》。刘少逸十一岁时在老师带领下，拜访了当时的名士王禹偁和罗处约，并快速答出二人所出难题，二人因而联名向朝廷举荐，刘少逸由此被誉为“神童”。

巨伯高谊[1]，许叔阴功[2]。

【注释】

①巨伯高谊：典出《世说新语·德行》。东汉时期，荀巨伯不忍抛弃自己生病的好友，眼见大军攻城却不逃跑。最终，攻城的将领被其行为感动，决定撤兵。

②许叔阴功：典出《独醒杂志》。南宋名医许叔微因救人无数，梦到神人告诉他将赐给他大官作为奖赏，之后果然应验。

代雨李靖[1]，止雹王崇[2]。

【注释】

①代雨李靖：典出《续玄怪录》。唐朝李靖做官之前，曾遇到龙宫奇事。当时，他借住山中民家，被告知此处为龙宫，需请李靖代为降雨。女主人给他一匹马和一瓶水，告诉他骑马随意奔跑，听到马嘶鸣则滴下一滴水，就可降下雨水。李靖看到自己的村子久经干旱，于是滴了过多的水，最终导致洪灾。

②止雹王崇：典出《魏书·孝感传》。北魏时期，王崇以孝行感动天地，在一次雹灾中，冰雹砸坏了许多庄稼，只有王崇家的庄稼得以保全。

和凝衣钵[1]，仁杰药笼[2]。

【注释】

①和凝衣钵：典出《渑水燕谈录·贡举门》。五代时期，和凝以十三名中进士，而后做了大官。在一次主持科举考试时，和凝非常欣赏范质，于是将他排在第十三名，并告诉范质他本可以做第一，将他排在十三是希望他能继承自己的衣钵。日后，范质果然做了宰相，实现了和凝的期望。

②仁杰药笼：典出《旧唐书·元行冲传》。元行冲对狄仁杰说："下属对上司来说，有些是肉食，储备起来可以防止挨饿，有些是药物，储备起来可以防病。您门下可以做肉食的人已经很多了，我希

望我能做您的一味药。”之后，狄仁杰对他人说：“元行冲就是我的药，一日也缺少不得。”

义伦清节①，展获和风②。

【注释】

①义伦清节：典出《宋史·沈伦传》。北宋灭蜀后，沈义伦不肯与其他人一起在当地搜刮财物。回京后，宋太祖查看他的箱子，发现只有几本书，于是对其廉洁大加赞赏。

②展获和风：典出《孟子·万章下》。孟子称赞柳下惠既是圣人，又平和温厚。所以，后世称柳下惠是“和圣”，并送他“和风百世”的美誉。

占风令尹①，辩日儿童②。

【注释】

①占风令尹：典出《神仙传》。据说老子出函谷关时，函谷关令尹看到天空中有紫气，知道圣人将要经过，于是按照天空紫气的方向找到了老子，并请老子隐居前留一部书籍给世人，即《道德经》。

②辩日儿童：典出《列子·汤问》。据说孔子曾见两小儿争辩太阳是早上离人近还是中午离人近，两小儿各执一词，最后连孔子也不能判断哪个说法正确。

敝履东郭①，粗服张融②。

【注释】

①敝履东郭：典出《史记·滑稽列传》。汉武帝时，有一个叫东郭先生的人生活贫苦，每次出门时穿的鞋只有鞋面而没有鞋底，冬天时也让双脚直接踩在雪上。

②粗服张融：典出《南齐书·张融传》。张融上朝时穿着破旧，皇帝认为他的衣着与其地位不符，于是赐给他--件自己穿过的衣服。

卢杞除患①，彭宠言功②。

【注释】

①卢杞除患：典出《新唐书·卢杞传》。唐朝时期，大臣卢杞称地方有三千头官府所圈养的猪骚扰百姓，于是，皇帝欲将这些猪迁到他地，但卢杞再次上奏说："天下都是皇上的百姓，猪到哪里都会扰乱百姓，不如吃掉猪让百姓安乐。"皇帝欣然同意，将三千头猪分给了平民。

②彭宠言功：典出《后汉书·彭宠传》。东汉光武帝刘秀讨伐王郎时，彭宠负责供给粮草，后来刘秀获胜，彭宠就总是对别人说自己的功劳很大。

放歌渔者①，鼓枻诗翁②。

【注释】

①放歌渔者：典出《潇湘录》。一人终日钓鱼，之后拿鱼换酒，高兴起来就放声歌唱。有人问这个人是不是隐士，此人回答："隐士？姜子牙和严子陵钓鱼，都说是隐士，其实是用鱼钩来钓取名声罢了。"

②鼓枻（yì）诗翁：典出《明一统志·长沙府》。宋人卓彦恭路过洞庭湖的时候，见月光之下有一老人划船，卓彦恭以为老人是在打鱼，没想到老人竟然敲打船桨唱出一首诗："八十沧浪一老翁，芦花江上水连空。世间多少乘除事，良夜月明收钓筒。"

韦文朱武①，阳孝尊忠②。

【注释】

①韦文朱武："韦文"典出《晋书·列女传》。前秦王知道韦逞的母亲学习过《周礼》，于是选拔了一百二十名学子到她家学习，并授予其"宣文君"的称号。"朱武"典出《晋书·朱序传》。朱序镇守襄阳抵抗前秦军队的时候，他的母亲认为城的西北角可能先被攻破，于是率领城中妇女另筑新城。之后，西北角果然先被攻破，而守

将朱序则凭借其母所筑新城固守了襄阳。

②阳孝尊忠：典出《汉书·王尊传》。西汉时期，王阳经过九折阪时感慨其地势太过危险，认为身体发肤受之父母，不愿走这里，于是告病辞官。西汉末年的王尊，也途经九折阪，感叹王阳一番孝心，但他决定做忠臣，所以坦然走过这个危险地带。

倚闾贾母[①]，投阁扬雄[②]。

【注释】

①倚闾贾母：典出《战国策·齐策》。战国时期，齐国国君因动乱被杀。王孙贾逃回家中后，他的母亲批评他："往常不管你回不回来，我都翘首以待，而现在国家没有国君，你回家做什么？"王孙贾被母亲的话点醒，于是号召民众反抗，由此平息了叛乱。

②投阁扬雄：典出《汉书·扬雄传》。王莽篡汉后，扬雄门人接连获罪。当时扬雄正在天禄阁校书，因害怕受到牵连而从阁中跳下，险些因此丧生。

梁姬值虎[①]，冯后当熊[②]。

【注释】

①梁姬值虎：典出《鹤林玉露》。梁氏有一天在官府看到廊下有一头猛虎在熟睡，仔细一看，才发现是个军人，梁氏认为此人气度不凡，于是决定嫁给他。这个在廊下熟睡的人便是后来的南宋大将韩世忠。

②冯后当熊：典出《汉书·外戚传》。汉元帝带领众妃观看斗兽，当一只熊突然从笼中跑出时，众妃四散奔逃，只有冯婕妤挡在汉元帝身前。汉元帝得知冯婕妤是为保护自己而不逃跑的，从此对她非常敬重。

罗敷陌上[①]，通德宫中[②]。

【注释】

①罗敷陌上：典出《陌上桑》。罗敷生得十分美丽，采桑时被路

过的官员看中，但罗敷巧妙而坚定地拒绝了官员，后人将其作为坚贞女子的代表。

②通德宫中：典出《飞燕外传》。西汉时期，伶玄将赵飞燕的侍女樊通德买回为妾。后来，樊通德为伶玄讲述赵飞燕姐妹的故事，经伶玄记录整理后，形成了《飞燕外传》。

二 冬

汉称七制[①]，唐羡三宗[②]。

【注释】

①汉称七制：典出《文中子》。隋朝学者王通赞扬汉朝的七位君王，认为他们以仁德、宽恕的方式治理天下，让百姓没有反抗的念头，是团结人心治世的代表。

②唐羡三宗：分别指唐太宗、唐玄宗、唐宪宗，分别对应“贞观之治”“开元盛世”“元和中兴”三个盛世局面。这里指的是治世局面。

杲卿断舌[①]，高祖伤胸[②]。

【注释】

①杲（gǎo）卿断舌：典出《新唐书·忠义传中》。安禄山起兵造反后，将领彦杲卿不愿反叛，斩杀了安禄山的部将。安禄山擒住彦杲卿后，割断了他的舌头。

②高祖伤胸：典出《汉书·高帝本纪》。刘邦与项羽隔着鸿沟对峙的时候，被项羽射中了胸口，刘邦担心自己受伤会动摇军心，便谎称只是被项羽射中了脚趾。

魏公切直[①]，师德宽容[②]。

【注释】

①魏公切直：典出《宋史·韩琦传》。宰相王曾称赞魏国公韩琦言论中正得当，是国家和朝廷真正需要的，能够端正法纪、近忠远奸的言论。

②师德宽容：典出《新唐书·娄师德传》。李昭德在一次与娄师德一同上朝时，讥笑娄师德身材臃肿、脚步太慢，像个农夫，而娄

师德回应道：“我不是农夫，谁是农夫？”

祢衡一鹗[①]，路斯九龙[②]。

【注释】

①祢（mí）衡一鹗：典出《后汉书·祢衡》。孔融向曹操推荐祢衡的时候，称祢衡是“几百只鸷也比不上一只鹗，就像普通的人才再多也比不上一个祢衡”。

②路斯九龙：典出《苏东坡全集·张龙公祀记》。张路斯的夫人生了九个儿子，而张路斯告诉夫人自己是龙，另有一个叫郑祥远的人也是龙，将和自己争夺住处，所以希望九个儿子都能帮助自己。第二天交战时，九个儿子帮助张路斯打败了郑祥远，但也分别化龙而去。

纯仁助麦[①]，丁固梦松[②]。

【注释】

①纯仁助麦：典出《范文正公集·言行拾遗录》。范纯仁在从苏州运麦子返家途中，恰巧遇到家中有丧事而没钱将灵柩运回北方的石延年，于是将麦子全部给了石延年。

②丁固梦松：典出《三国志·吴书》。丁固梦见从自己的肚子里长出一棵松树，他认为“松”是“十八公”的意思，预示着自己十八年后可以位列三公，后来果真如此。

韩琦芍药[①]，李固芙蓉[②]。

【注释】

①韩琦芍药：典出《梦溪笔谈·补笔谈》。据传北宋韩琦家中有一株芍药，曾开了四朵上下红而中间黄蕊的芍药花，称之为“金缠腰”。之后他留下一朵，其余三朵分别送给王安石、王珪、陈升之。最后，这四人都官至宰相。

②李固芙蓉：典出《酉阳杂俎·续集》。唐代人李固落榜后，在回家路上碰到一位老妇人，她对李固说：“明年芙蓉镜下及第，

二十四年以后为宰相，当镇蜀土，可惜我看不到你做大将的那天了。”第二年，李固真的成了状元，而试中一个考题就是“人镜芙蓉”。

乐羊七载①，方朔三冬②。

【注释】

①乐羊七载：典出《后汉书·列女传》。乐羊子外出求学，结果刚刚学了一年就因思家而回去了。正在织布的妻子立即毁掉织布机提醒乐羊子，他的做法就像自己织布织了一半就放弃一样。最终，乐羊子离家后七年学艺不归，终有成就。

②方朔三冬：典出《汉书·东方朔传》。东方朔告诉汉武帝，自己从三岁开始读书，三年内所学的知识，就足够做文章和与人谈论历史了。

郊祁并第①，谭尚相攻②。

【注释】

①郊祁并第：典出《宋史·宋祁传》。北宋时期，宋郊、宋祁兄弟同榜中进士，起初的宋祁第一、宋郊第三，但掌权者认为要考虑兄弟次序，最终确定宋郊为第一、宋祁为第十，传为“兄弟双状元”之佳话。

②谭尚相攻：典出《三国志·魏书·袁绍传》。袁绍死后，他的儿子袁尚、袁谭相互争斗，曹操借机拉拢袁谭消灭袁尚，然后又寻找机会除掉了袁谭，最终兄弟二人都被曹操所灭。

陶违雾豹①，韩比云龙②。

【注释】

①陶违雾豹：典出《列女传·贤明传》。战国时，答子做官回家有百辆车随行，妻子见到后抱着孩子痛哭。婆婆问她其中的原因，妻子回答说：“听闻黑豹在雾中蛰伏，是为了避害，而猪贪吃，最终被杀。如今国家贫瘠而丈夫贪婪，这是败亡的预兆。”后来，答子

果然因贪赃被杀。

②韩比云龙：语出韩愈《醉留东野》："吾愿身为云，东野变为龙。四方上下逐东野，虽有离别无由逢。"其实，韩愈是希望自己和友人孟郊能像云和龙一样，长期相聚在一起。

洗儿妃子[1]，校士昭容[2]。

【注释】

①洗儿妃子：据《安禄山事迹》。杨贵妃将安禄山收为自己的养子，后来在安禄山生日后的第三天，将他视为新生儿，让宫女像给婴儿洗澡一样给他洗澡。唐玄宗得知后观看，并赐予杨贵妃"洗儿钱"。

②校士昭容：典出《新唐书·上官昭容传》。上官昭容经常在朝廷宴会上品评各个大臣所作诗句，并分出不同的档次，然后给予奖励。

彩鸾书韵[1]，琴操参宗[2]。

【注释】

①彩鸾书韵：典出《传奇·文箫》。唐代书生文箫与仙女吴彩鸾结合后，仙女每天写一部《唐韵》，由文箫卖出后用以维持生计。

②琴操参宗：典出《能改斋漫录》。苏轼与歌伎琴操玩领悟佛理的游戏，当琴操询问自己的结局时，苏轼答："门前冷落车马稀，老大嫁作商人妇。"琴操醒悟，后来削发为尼。

三　江

古帝凤阁①，刺史鸡窗②。

【注释】

①古帝凤阁：典出《文选》。黄帝时期，人们将凤凰在阿阁筑巢的行为视为祥瑞的征兆。

②刺史鸡窗：典出《幽冥录》。晋代官员宋处宗在自己窗前养了一只鸡，后来鸡突然能说话。于是，宋处宗长时间与鸡交流，他因此学问大进。

亡秦胡亥①，兴汉刘邦②。

【注释】

①亡秦胡亥：典出《史记·秦本纪》。秦始皇幼子胡亥即位后残暴无道，最终被杀，继位的子婴又被项羽所杀，秦朝灭亡。

②兴汉刘邦：典出《史记·高祖本纪》。刘邦打败项羽之后，建立了汉朝。

戴生独步①，许子无双②。

【注释】

①戴生独步：典出《后汉书·逸民列传》。东汉隐士戴良学识渊博且见解独到，曾自认为天下无人能与自己相比。

②许子无双：典出《后汉书·儒林列传》。东汉学者许慎在研究“五经”上独占鳌头，世人称赞他在这方面无人能出其右。

柳眠汉苑①，枫落吴江②。

【注释】

①柳眠汉苑：典出《三辅旧事》。汉朝宫苑中有棵柳树，每日三

次卧倒，三次起立，很像人睡觉醒来的样子，被称作“人柳”。

②枫落吴江：典出《唐才子传》。唐代人郑世翼在与崔信明相遇于江上后，感慨崔信明有“枫落吴江冷”的佳句，于是向其借阅其他作品。但还没有全部看完，郑世翼就感到非常失望，认为世人对崔信明的评价有些言过其实了，于是将其作品投入江中。

鱼山警植[①]，鹿门隐庞[②]。

【注释】

①鱼山警植：曹植登鱼山，听到诵经声而受启发，创作出《太子颂》，作为佛教音乐流传。

②鹿门隐庞：典出《后汉书·逸民列传》。东汉末年，名士庞德公归隐山林不肯做官，后来更是带着妻儿进入鹿门山采药，再也没有出山。

浩从床匿[①]，崧避杖撞[②]。

【注释】

①浩从床匿：典出《新唐书·文艺传》。孟浩然在拜访王维时恰遇唐玄宗前来，于是躲在了床底下。王维告知唐玄宗详情后，玄宗请孟浩然从床底出来。

②崧避杖撞：典出《后汉书·钟离意传》。东汉时期，药崧因为办事不力，被明帝用手杖打，药崧立即躲到床下，并且称皇帝不应随意打人，要注意举止端庄，明帝因此收手。

刘诗瓿覆[①]，韩文鼎扛[②]。

【注释】

①刘诗瓿（bù）覆：典出《明史·刘基传》。刘基有诗集《覆瓿集》，其“覆瓿”一词源于西汉刘歆与扬雄的对话，当时刘歆说：“当代的学者醉心于功名利禄，他们的作品恐怕只会被后世用来做酱坛子的盖子了。”后人以“瓿覆”指文章价值不高，有时作者也用以自谦。

②韩文鼎扛：因韩愈诗文风格雄健，所以后世人形容韩愈的笔力可以举起大鼎。

愿归盘谷[①]，杨忆石淙[②]。

【注释】

①愿归盘谷：唐代人李愿不愿意依附权贵，所以选择在盘谷（今河南济源县北）隐居。

②杨忆石淙：明代杨一清曾用“石淙”为故乡的一处景色命名，到了晚年，他因为无法再回到家乡，就用“石淙精舍”为自己在镇江的住所命名。

弩名克敌[①]，城筑受降[②]。

【注释】

①弩名克敌：典出《挥麈三录》。南宋大将韩世忠在“神臂弓图”图样的基础上设计制造出一种弩，被宋高宗赐名为“克敌弓”。

②城筑受降：中国历史上曾有两次以“受降”为边疆城市命名，第一次是在汉武帝时期，公孙敖奉命筑城，并命名为“受降”城，意即接受匈奴的投降。第二次是在唐中宗时期，为了防止突厥南下，张仁愿在边境筑城，并命名为“受降”城。

韦曲杜曲[①]，梦窗草窗[②]。

【注释】

①韦曲杜曲：韦氏一族的聚居地在西安府南、皇子陂西，这一地段被时人称为“韦曲”。韦曲以东五里的地方，是杜氏一族的聚居地，被时人称为“杜曲”。这两个姓氏是当时长安的大姓、大族。

②梦窗草窗：“梦窗”指南宋词人吴文英，其别号为“梦窗”。“草窗”指同时代文人周密，其别号为“草窗”。

灵征刍狗[①]，诗祸花尨[②]。

【注释】

①灵征刍狗：典出《三国志·魏志·方技传》。时人曾三次询问周宣梦见刍狗是什么含义，结果周宣给出的答案皆不相同，但都一一应验。

②诗祸花尨（máng）：典出《列朝诗集·高太史启》。明代高启曾题诗："女奴扶醉踏苍苔，明月西园侍宴回。小犬隔花空吠影，夜深宫静有谁来。"因诗中后两句涉及宫中隐私，触怒了明太祖，高启最终被皇帝所杀。

嘉贞丝幔[①]，鲁直彩缸[②]。

【注释】

①嘉贞丝幔：典出《开元天宝遗事》。张嘉贞欲将郭元振招揽为自己的女婿，但不知该将五个女儿中的哪一个嫁给他，于是让五个女儿全部藏在幔帐的后面，各执一根丝线让郭元振选择。最后郭选择了红色的丝线，也就是张嘉贞的美丽贤惠的三女儿。

②鲁直彩缸：鲁直（黄庭坚）向苏东坡的孙女求婚，并用彩绸缠在酒缸上作为聘礼。

四　支

王良策马[1]，傅说骑箕[2]。

【注释】

①王良策马：出自《史记·天官书》。这是古代人对天象变化的一种说法。古代天文学家将银河中的四颗星称为“天马四”，紧邻天马四星的星星叫作“王良”；紧邻王良星的一颗星叫作“策”。当策星的位置移动到天马四或王良星旁边的时候，就形成了“王良策马”的星象，古人认为这预示着将要发生大规模的战争。

②傅说骑箕：传说天上处在箕宿和尾宿之间的星座，是曾担任商王武丁的宰相傅说死后变成的，其所处位置，被古人称为“骑箕”。

伏羲画卦[1]，宣父删诗[2]。

【注释】

①伏羲画卦：典出《周易·系辞》。传说伏羲从天地自然的变化中领悟出八种卦象，称为“八卦”。

②宣父删诗：典出《史记·孔子世家》。传说古代流传到孔子时代的诗多达三千多篇，孔子（即宣父）从中选择符合儒家道义的三百多首，编成了《诗经》。

高逢白帝[1]，禹梦玄彝[2]。

【注释】

①高逢白帝：典出《史记·高祖本纪》。刘邦在还没有当皇帝时，有一次趁着酒醉，将一条拦路的大蛇斩杀。后有人在刘邦斩杀大蛇的地方看到一老妇哭泣，得知老妇的儿子是白帝之子，如今被赤帝之子斩杀了。所以，当时的人们都认为刘邦是赤帝之子在人间的化身。

②禹梦玄彝：典出《吴越春秋·越王无余外传》。传说大禹登临衡山的时候得到神仙的指点，最终找到了治水的方法。

寅陈七策[①]，光进五规[②]。

【注释】

①寅陈七策：宋代进士胡寅向高宗上书，建议罢除议和、修战备等七项策略。

②光进五规：指司马光向宋仁宗进谏，提出了“保业、惜时、远谋、谨微、务实”等五项新规。

鲁恭三异[①]，杨震四知[②]。

【注释】

①鲁恭三异：典出《后汉书·鲁恭传》。鲁恭做中牟县令的时候，河南发生蝗灾，只有中牟县幸免于难。于是皇帝派使臣查看，发现中牟县不但没有蝗虫，而且这里的野鸡也敢亲近人，孩童也懂得仁爱。通过这三件异事，朝廷对鲁恭的德行深表赞赏。

②杨震四知：典出《后汉书·杨震传》。杨震路过昌邑县的时候，王密感其曾经对自己的举荐，于是趁着夜晚送给杨震钱财，杨震拒而不受。王密认为，夜深人静的时候不会有人知晓，可杨震却说：“天知，地知，你知，我知。怎么会没有人知道呢？”

邓攸弃子[①]，郭巨埋儿[②]。

【注释】

①邓攸弃子：典出《晋书·邓攸传》。西晋末年，天下大乱，逃难中的邓攸为保护弟弟的遗孤邓绥，不得不抛弃自己的亲生骨肉。

②郭巨埋儿：典出《搜神记》。传说汉代郭巨虽然家贫但极为孝顺，为供养父母而想埋杀自己的儿子，但在挖地时挖出一锅黄金，上面写道：“孝子郭巨，天赐黄金一釜。”郭巨最终没有埋掉儿子。

公瑜嫁婢[1]，处道还姬[2]。

【注释】

①公瑜嫁婢：典出《括异志·众里发运》。宋人钟离瑾做县令时买了一个婢女做自己女儿的陪嫁女，但当他得知此女是前任县令的女儿后，便用与自己女儿同样规格的嫁妆出嫁婢女。

②处道还姬：典出《本事诗》。隋灭陈后，陈朝乐昌公主被赐予杨素。随后，杨素得知公主的丈夫来京寻访公主，大度地让两人团聚。

允诛董卓[1]，玠杀王夔[2]。

【注释】

①允诛董卓：典出《后汉书·王允传》。东汉末年，董卓成为汉王室的大患，身为司徒的王允设计拉拢吕布，杀死了董卓。

②玠杀王夔：典出《宋史·余玠传》。南宋王夔残害蜀地百姓，余玠到四川赴任时假意邀王夔议事，乘机罢免他的兵权，将其斩杀。

石虔矫捷[1]，朱亥雄奇[2]。

【注释】

①石虔（qián）矫捷：典出《晋书·桓石虔传》。桓石虔曾随父狩猎，在一只猛虎中箭倒地后，桓石虔上前拔箭，不料猛虎突然跳起，可是桓石虔比猛虎跳得还高，在随虎落下后拔出了虎身上的箭羽，可谓矫捷无比。

②朱亥雄奇：典出《列士传》。侠客朱亥代表信陵君出使秦国，因触怒秦王被投入虎圈。他盯着猛虎以致猛虎不敢攻击，秦王赏识朱亥的胆识，将其送回了魏国。

平叔傅粉[1]，弘治凝脂[2]。

【注释】

①平叔傅粉：典出《世说新语·容止》。三国时，魏人何晏皮肤白

皙，魏明帝猜疑他用了脂粉，于是夏天赐他热汤面，何晏当场吃后满头大汗，擦拭之后皮肤更加白皙。

②弘治凝脂：典出《晋书·杜乂（yì）传》。晋朝人杜乂皮肤如脂，被王羲之赞叹为“面若凝脂，眼如点漆，神仙中人也”。

伯俞泣杖①，墨翟悲丝②。

【注释】

①伯俞泣杖：典出《说苑·建本》。汉代孝子韩伯俞犯了错就会遭母亲责打，但从不为疼痛而哭泣。直到有一天，他感到母亲责打的力度变轻，心感母亲已变得衰老而心痛哭泣。

②墨翟悲丝：典出《墨子·所染》。墨子从染丝中悟出的道理，即人的思想是非常容易被外界影响和侵染的。

能文曹植①，善辩张仪②。

【注释】

①能文曹植：典出《三国志·魏书》。曹植文采斐然，十岁出头时就能写出好文章，当曹操疑惑他是抄袭别人作品时，曹植要求当面考验以证明自己的文采和品行。

②善辩张仪：典出《史记·张仪列传》。张仪为秦国游说六国，凭借巧辩之功做了秦国和魏国的国相。

温公警枕①，董子下帷②。

【注释】

①温公警枕：典出《司马温公布衾铭》。司马光睡觉的时候枕在一块圆木上，一翻身就会滚落惊醒，然后继续读书。

②董子下帷：典出《史记·儒林列传》。董仲舒教书时习惯放下帷帐，防止自己分神。

会书张旭[1]，善画王维[2]。

【注释】

①会书张旭：典出《新唐书·文艺传》。唐代书法家张旭擅长草书，醉后写字更加狂放精妙，人称“草圣”。

②善画王维：典出《新唐书·文艺传》。王维善画山水，被苏轼赞为“诗中有画，画中有诗”。

周兄无慧[1]，济叔不痴[2]。

【注释】

①周兄无慧：典出《左传·成公十八年》。春秋时期，晋厉公被杀后，按照祖制应该将周子的兄长立为国君，但因其智力低下，最终大臣们选择了周子。

②济叔不痴：典出《晋书·王湛传》。王湛平时略显愚笨，他的侄子王济看不起他。后来，叔侄二人讨论《易经》和比试骑术，王湛的能力和智慧才让王济深为叹服。

杜畿国士[1]，郭泰人师[2]。

【注释】

①杜畿（jī）国士：典出《傅子》。三国曹魏时期官员杜畿做官前曾与身为侍中的耿纪把酒夜谈，被住在耿纪隔壁的荀彧听到，荀彧斥责耿纪家中有人才而不推荐给朝廷，之后更是亲自向曹操举荐杜畿。

②郭泰人师：典出《资治通鉴·汉纪》。东汉名士郭泰学术造诣颇高，且道德高尚，以至于一个叫魏昭的人主动要求给他当仆人，并说：“学问之师易，德行之师难。”

程颐传《易》[1]，觉范论诗[2]。

【注释】

①程颐传《易》：典出《宋史·程颐传》。程颐（伊川人）将《易经》和儒家思想结合起来，以新的视角进行注解。

②觉范论诗：典出《冷斋夜话》。南宋僧人惠洪（字觉范）与其弟超然都擅长谈论诗文，惠洪在疑问如何了解自然情趣的时候，超然以“萧何了解韩信”来作比。

董昭救蚁[①]，毛宝放龟[②]。

【注释】

①董昭救蚁：典出《齐谐记》。董昭在江上漂浮的稻草上救下一只蚂蚁，后来梦见化作人形的蚁王向自己致谢。当董昭后来被诬入狱的时候，蚁王在他梦中告诉他天子将大赦，赶快逃进余杭山。第二天，蚂蚁已将刑具咬开。他逃往余杭山，不久，天子大赦。

②毛宝放龟：典出《搜神后记》。东晋武将毛宝的部下养大一只白龟后放生，后来晋军兵败，部下跳江后感觉到有东西托住自己，上岸后发现托住自己的正是曾经放生的白龟。这个部下没有留下姓名，于是后人就将这个故事归在毛宝的身上。

乘风宗悫[①]，立雪杨时[②]。

【注释】

①乘风宗悫（què）：典出《宋书·宗悫传》。南宋名将宗悫年少时曾要“乘长风破万里浪”。这让他的叔父很震惊。

②立雪杨时：典出《宋史·杨时传》。杨时和同学游酢寒冬时节拜会恩师程颐，恰逢程颐午休，他们不敢打扰恩师，便在门外等候。结果等程颐醒来的时候，门外的雪已有一尺多厚。

阮籍青眼[①]，马良白眉[②]。

【注释】

①阮籍青眼：典出《晋书·阮籍传》。阮籍常用青白眼看人，同样是去凭吊，嵇喜受到白眼，而弟弟嵇康则受到青眼。

②马良白眉：典出《三国志·蜀志·马良传》。马良年轻时眉毛里掺杂白色的毛，所以在评价马良兄弟五人时，人们总说：“白眉毛那个最有出息。”

韩子《孤愤》[1]，梁鸿《五噫》[2]。

【注释】

①韩子《孤愤》：典出《史记·老子韩非列传》。韩非子屡次劝谏不被采纳，悲愤地书写了《孤愤》。

②梁鸿《五噫》：典出《后汉书·逸民列传》。东汉隐士梁鸿路过洛阳时，见宫殿华丽而感叹民生疾苦，作《五噫》。

钱昆嗜蟹[1]，崔谌乞麋[2]。

【注释】

①钱昆嗜蟹：典出《归田录》。北宋钱昆爱吃螃蟹，以至于要求去有螃蟹且没有通判监视的地方做官。

②崔谌（chén）乞麋：典出《北齐书·李绘传》。南北朝时期，崔谌依仗弟弟的权势向李绘索要麋鹿的角和鹌鸽的羽毛，遭到李绘的回绝。

隐之卖犬[1]，井伯烹雌[2]。

【注释】

①隐之卖犬：典出《晋书·吴隐之传》。吴隐之家里非常贫穷，女儿出嫁的时候只能将看门的爱犬卖掉，给女儿换嫁妆。

②井伯烹雌：典出《风俗通》。百里奚与妻子分别时，劈了家中的门闩，煮了家中的老母鸡。之后百里奚成了秦国大夫，他的妻子也流落秦国，恰巧去他家做了洗衣妇。妻子认出百里奚后，用歌声唤起他的回忆，二人得以相认。

枚皋敏捷[1]，司马淹迟[2]。

【注释】

①枚皋敏捷：典出《西京杂记》。西汉文学家枚皋才思敏捷但不够精细，学者扬雄评价他适合书写军报和檄文。

②司马淹迟：典出《西京杂记》。西汉文学家司马相如写文章很慢但文辞非常美妙，扬雄评价他适合写朝廷的重要文章。

祖莹称圣[①]，潘岳诚奇[②]。

【注释】

①祖莹称圣：典出《魏书·祖莹传》。祖莹八岁时便通晓《诗经》《尚书》，被称为“圣小儿”。

②潘岳诚奇：曲出《晋书·潘岳传》。潘岳少年聪慧，被称为“奇童”。

紫芝眉宇[①]，思曼风姿[②]。

【注释】

①紫芝眉宇：典出《新唐书·卓行传》。宰相房琯在看到隐士元德秀（字紫芝）的容貌后，感慨自己连争名夺利的心都没有了。

②思曼风姿：典出《南史·张绪传》。齐武帝观赏柳树时，总喜欢将柳树比喻成年轻时的张绪，足见其在齐武帝眼中的可爱形象。

毓会窃饮[①]，谌纪成糜[②]。

【注释】

①毓会窃饮：典出《世说新语·言语》。钟会和钟毓趁父亲钟繇睡觉时偷偷喝酒。钟毓认为礼仪重要，于是先跪拜再喝，而钟会认为偷酒喝本身就不合礼法，所以只管畅饮。

②谌纪成糜：典出《世说新语·夙惠》。陈寔（shí）在家中会客，让两子陈谌和陈纪做饭，二子因为听父亲与客人谈话，误将要蒸的米饭倒入锅中煮。陈寔原本生气，但二子复述陈寔与客人的谈话竟一字不漏，于是他欣然让儿子改饭为粥。

韩康卖药[①]，周术茹芝[②]。

【注释】

①韩康卖药：典出《后汉书·逸民列传》。韩康隐居于集市，没想到在集市上卖药时被一女子认出，于是选择隐居山林。

②周术茹芝：典出《高士传》。周术，字元道，人称“甪(lù)里先生”，是传说中的“商山四皓”之一。商山四皓分别是东园公、甪里先生、绮里季、夏黄公。

刘公殿虎①，庄子涂龟②。

【注释】

①刘公殿虎：典出《宋明臣言行录》。刘安世因敢于在朝堂上与皇上争辩，所以获得了“殿上虎”的称号。

②庄子涂龟：典出《庄子·秋水》。庄子把自己比作乌龟，宁愿在泥塘中享受自由也不愿被关起来享受尊贵，以此来谢绝楚王向自己发出的做官邀请。

唐举善相①，扁鹊名医②。

【注释】

①唐举善相：典出《史记·范雎蔡泽列传》。唐举曾为蔡泽算命，称其还有四十三年的富贵寿命，最终蔡泽做到了秦相的位置。

②扁鹊名医：典出《史记·扁鹊仓公列传》。扁鹊少年时即能及时看出他人的病患，并给予有效的治疗。

韩琦焚疏①，贾岛祭诗②。

【注释】

①韩琦焚疏：典出《谏垣存稿序》。北宋谏官韩琦本想将所有谏文效仿古人的做法全部烧掉，但觉得此举无法体现对皇帝的劝谏之德行，所以加以整理，取名为《谏垣存稿》。

②贾岛祭诗：典出《云仙杂记》。每年除夕，贾岛都会用酒肉来祭奠自己的诗篇。

康侯训侄①，良弼课儿②。

【注释】

①康侯训侄：典出《宋史·胡寅传》。胡寅是胡安国的侄子，曾

被胡安国关入藏书几千卷的阁楼。在阁楼中,胡寅只能终日读书,一年后考中进士。

②良弼课儿:典出《万姓统谱》。余良弼为了教诲自己的后代,写作教子诗:"白发无凭吾老矣,青春不再当知乎?年将弱冠非童子,学不成名岂丈夫。幸有朋窗并净几,何劳凿壁与编蒲。功成欲自殊头角,记取韩公训阿符。"

颜狂莫及①,山器难知②。

【注释】

①颜狂莫及:典出《宋书·颜延之传》。南宋文学家颜延之依仗自己文章优秀,常有狂放之举,标榜自己的狂放无人能及。

②山器难知:典出《世说新语·赏誉》。王戎评价山涛就像没有经过雕琢的玉石,虽人人知其为宝物,但潜力如何无人知晓。

懒残煨芋①,李泌烧梨②。

【注释】

①懒残煨芋:典出《邺侯外传》。李泌半夜去找僧人明瓒,明瓒亲自为其煨芋头吃,并要他安心做十年宰相。

②李泌烧梨:典出《邺侯外传》。唐肃宗召见李泌与三个弟弟,他们围坐在炉火边闲谈,知道李泌不吃肉,于是亲自为他烤了两个梨。

干椹杨沛①,焦饭陈遗②。

【注释】

①干椹杨沛:典出《三国志·魏书》。三国曹魏的地方官杨沛让百姓将桑葚和豆子晒干,作为食物。

②焦饭陈遗:典出《世说新语·德行》。东晋人陈遗孝顺母亲,用心为母亲收集她爱吃的锅巴。一次,锅巴还没来得及送给母亲,陈遗就随军出征,最后军队打了败仗,陈遗逃到山里,靠锅巴生存。世人认为这是上天在回报他的孝心。

文舒戒子①，安石求师②。

【注释】

①文舒戒子：典出《三国志·魏书》。王昶（字文舒）曾给子侄写过一封信，教育他们要注重德行、远离浮华。

②安石求师：典出《晁氏客语》。王安石认为人们常会先入为主，所以启蒙老师必须是德行、学识并重的人。

防年末减①，严武称奇②。

【注释】

①防年末减：典出《汉武故事》。西汉防年的父亲被后母杀害，防年于是杀死了后母。按照当时的法律，杀死父母罪责加重，而太子认为后母杀死父亲在先，不能算是母亲，主张减轻防年的罪责。

②严武称奇：典出《新唐书·严武传》。严武的父亲严挺之厚待小妾而鄙薄严武的母亲，严武八岁时将父亲的小妾杀死并据理力争："身为大臣，厚妾而薄妻本不合理！"严挺之了解情况后并没有责怪严武，反而对严武大为称赞。

邓云艾艾①，周曰期期②。

【注释】

①邓云艾艾：典出《世说新语·言语》。三国曹魏的将领邓艾口吃，经常说出多个"艾"，别人讽刺他："你的名字究竟有几个'艾'？"邓艾便以楚辞中"凤凰啊，凤凰啊"的表述表达只有一只凤凰，来巧妙为自己化解难堪。

②周曰期期：典出《史记·张丞相列传》。西汉大臣周昌有口吃的毛病，当刘邦要废太子的时候，一着急把"期知其不可"说成了"期期知其不可"。

周师猿鹄①，梁相鹓鸱②。

【注释】

①周师猿鹄：典出《抱朴子》。其中记载："周穆王南征，一军

尽化，君子为猿为鹄，小人为虫为沙。”

②梁相鹓鸱（yuān chī）：典出《庄子·秋水》。惠子曾因误听谗言到处搜捕庄子，后来庄子面见惠子，对惠子说：“鹓雏只吃竹子的果实、喝泉水，而鹞鹰喜欢抓老鼠，当鹞鹰看到鹓雏飞过的时候，以为是要和自己抢老鼠，于是大喊大叫！”以此来讽刺惠子，言明自己不会和他争夺梁国国相的职位。

临洮大汉①，琼崖小儿②。

【注释】

①临洮大汉：典出《汉书·五行志》。秦始皇二十六年，有巨人在临洮出现。

②琼崖小儿：典出《洞微志·九代祖》。宋代人李守忠去海南的一位杨姓老者家中做客，此时老者已然八十多岁，其父亲一百二十余岁，祖父一百九十五岁，更在鸡窝中出现一孩童，据称是老者的九世祖，实际年岁不详。

东阳巧对①，汝锡奇诗②。

【注释】

①东阳巧对：典出《尧生堂外纪》。李东阳朝见明英宗时，恰逢地方进贡螃蟹，明英宗随口吟出上联“螃蟹一身甲胄”，李东阳立即对出下联“蜘蛛满腹经纶”。

②汝锡奇诗：典出《万姓统谱》。宋代人陈汝锡曾在少年时作诗：“闲愁莫浪遣，留为痛饮资。”诗人黄庭坚看到后，称赞陈汝锡与自己是同道中人。

启期三乐①，藏用五知②。

【注释】

①启期三乐：典出《列子·天瑞》。春秋时期，孔子见到荣启期穿着破烂的衣服抚琴歌唱，一副高兴的样子。孔子问起来，荣启期说自己“生而为人”为一乐；“生而为男”为二乐；“长寿至今，已九十

岁”为三乐。

②藏用五知：宋代人李若拙（字藏用）的儿子李绎，曾作《五知先生传》来自喻，其“五知”分别为知时、知难、知命、知退、知足。此处为误用。

堕甑叔达[1]，发瓮钟离[2]。

【注释】

①堕甑（zèng）叔达：典出《后汉书·郭太传》。东汉孟敏（字叔达）的甑掉在了地上，但他头也不回地离去了，他认为甑既然摔坏了，回头看也无济于事。

②发瓮钟离：典出《搜神记》。东汉钟离意用自己的钱修缮孔庙，张伯在孔庙堂中挖出七枚玉璧，只交给钟离意六枚。后来钟离意找到孔子留下的帛书，上面写道：“董仲舒修订我的书，钟离意为我修缮庙堂，七枚玉璧，张伯私藏一枚。”在证据面前，张伯交出了私藏的第七枚玉璧。

一钱诛吏[1]，半臂怜姬[2]。

【注释】

①一钱诛吏：典出《鹤林玉露》。北宋张咏做县令时，发现一个小吏从钱库出来时头发里别着一枚库房中的钱币，于是将其诛杀。

②半臂怜姬：典出《东轩笔录》。北宋宋祁妻妾众多，一日因天寒派人回家取“半臂”，结果妻妾每人拿出一件，让仆人带来了十几件。宋祁怕对妻妾表现得厚此薄彼，于是一件不用地忍着寒冷回家。

王胡索食[1]，罗友乞祠[2]。

【注释】

①王胡索食：典出《世说新语·方正》。陶范见王胡之家穷，送给他一船米，结果遭到王胡之拒绝，称自己没有饭吃的时候会找谢

尚，不需要陶范的帮助。

②罗友乞祠：典出《世说新语·任诞》。罗友总是去蹭别人家祭神后剩下的酒食，有一次竟然因为去得太早，不得不站在门口等到天亮。

召父杜母①，雍友杨师②。

【注释】

①召父杜母：典出《汉书·循吏传》和《后汉书·杜诗传》。西汉人召信臣和东汉人杜诗都曾担任南阳太守，当地人感怀二人造福百姓的政绩，将其并称为“前有召父，后有杜母”。

②雍友杨师：典出《方舆胜览》。杨用中向张浚推荐杨仲远做他的老师，雍退翁做他的朋友。

直言解发①，京兆画眉②。

【注释】

①直言解发：典出《新唐书·列女传》。唐代贾直言被流放到南海前，劝妻子改嫁，妻子董氏将头发束好，用帛封好，表示自己等贾直言回来。二十年后，贾直言再与妻子相见时，妻子头发上封帛还和原来一样。

②京兆画眉：典出《汉书·张敞传》。汉代张敞担任京兆尹的时候，曾为妻子画眉。

美姬工笛①，老婢吹篪②。

【注释】

①美姬工笛：典出《晋书·石崇传》。石崇的小妾名为绿珠，不但美貌而且善于吹笛。孙秀向石崇讨要绿珠而不得，就制造借口杀害石崇，结果绿珠跳楼殉情。

②老婢吹篪（chí）：典出《洛阳伽蓝记》。北魏河间王琛，有个善于吹篪的婢女。羌人叛乱的时候，婢女扮作老妇人在阵前吹篪乞讨，吹得羌人纷纷落泪，相继归降了北魏。

五　微

敬叔受饷[1]，吴祐遗衣[2]。

【注释】

①敬叔受饷：典出《南史·文学传》。何敬叔为官清廉，从不收礼，一年夏天突然在门口贴出告示要收礼，然后把收来的财物分给了穷人。

②吴祐遗衣：典出《后汉书·吴祐传》。吴祐为官清廉，一名小吏曾私敛钱财为父亲买了一件衣服，结果遭到父亲的怒斥："有吴祐这样的上司，你怎能欺瞒？"之后小吏拿着衣服向吴祐请罪。吴祐赦免了小吏，并将衣服送给小吏的父亲。

淳于窃笑[1]，司马微讥[2]。

【注释】

①淳于窃笑：典出《史记·滑稽列传》。楚国攻打齐国，齐王给淳于髡一百斤黄金和四十匹骏马，派他向赵国求助。淳于髡用农夫只以少量祭品想换取丰收作比提醒齐王，最后以千镒黄金、二十枚白璧和四百匹骏马，获得赵国相助，摆脱了困境。

②司马微讥：典出《新唐书·卢藏用传》。卢藏用年轻时凭借隐居终南山所得名声做了官，后来对司马承祯赞扬终南山秀丽的风景，而司马承祯则一语道破"终南捷径"的本质。

子房辟谷[1]，公信采薇[2]。

【注释】

①子房辟谷：典出《史记·留侯世家》。张良在西汉建立后，被封为留侯，但他毫不留恋权位，转而开始学习辟谷术。

②公信采薇：典出《史记·伯夷列传》。武王伐纣后，伯夷、叔

齐认为自己身为商臣，食用周朝的粮食有失臣道，于是只靠山中野菜度日，直至饿死。

卜商闻过[1]，伯玉知非[2]。

【注释】

①卜商闻过：典出《礼记·檀弓》。曾子曾列举卜商（即子夏）的三条罪过，卜商听后连忙自责拜谢。

②伯玉知非：典出《淮南子·原道训》。春秋时期，卫国大夫伯玉每天都反思自己曾犯下的错误，五十岁的时候能知道自己前四十九年所犯的所有过错。

仕治远志[1]，伯约当归[2]。

【注释】

①仕治远志：典出《世说新语·排调》。东晋时期，郝隆（字仕治）和谢安同在桓温手下任职，因看不起谢安，所以借一味叫"远志"的草药，讽刺谢安隐居只是为了名利，其实并没有多少真才实学。

②伯约当归：典出《三国志·蜀书·姜维传》。姜维（字伯约）归降蜀国后，身在曹魏的母亲写信给姜维，让他寻找"当归"这味草药，意思是要他寻找机会回到魏国。姜维回信说："良田百顷，不在一亩；但有远志，不在当归也。"表达自己留在蜀国的坚定决心。

商安鹑服[1]，章泣牛衣[2]。

【注释】

①商安鹑（chún）服：典出《荀子·大略》。卜商家里很穷，荀子形容他的打着补丁的衣服挂起来，就像挂着的鹌鹑一样。

②章泣牛衣：典出《汉书·王章传》。王章还未做官的时候，生了病只能用牛衣遮体御寒。后来在妻子的激励下做了大官，当他变得贪得无厌的时候，妻子以他曾用牛衣御寒的经历提醒他。

蔡陈善谑[1]，王葛交讥[2]。

【注释】

①蔡陈善谑：典出《诗话总龟·诙谐门》。蔡襄与陈亚饮酒后，趁着酒醉，用对方的名字互相开玩笑，蔡襄写下“陈亚有心便是恶”，陈亚回敬“蔡襄无口便成衰”。

②王葛交讥：典出《世说新语·排调》。王导与诸葛恢争论彼此姓氏地位的高低，王导强调“世人说‘王葛’而不说‘葛王’”，说明王姓高贵，诸葛恢则用“世人说‘驴马’而不说‘马驴’”反驳他。

陶公运甓[1]，孟母断机[2]。

【注释】

①陶公运甓（pì）：典出《晋书·陶侃传》。陶侃任广州刺史时，每天都会在早上搬一百块砖到书房外，晚上再搬回书房内，以此磨炼自己。

②孟母断机：典出《列女传·母仪传》。孟母用斩断织布机的方式警醒孟子，做任何事都不能半途而废，也不能马虎了事。

六　鱼

少帝坐膝[1]，太子牵裾[2]。

【注释】

①少帝坐膝：典出《世说新语·夙惠》。东晋时期，元帝问在自己膝上玩耍的幼年明帝太阳与长安哪个远，明帝回答说太阳远，因为没听说过有人从太阳来，而总听到有人从长安来。第二天，元帝召集大臣重问明帝这个问题，明帝却出人意料地回答长安远，因为能看到太阳却看不到长安。

②太子牵裾（jū）：典出《晋书·愍（mǐn）怀太子传》。愍怀太子五岁时宫中夜里失火，武帝欲登高查看火势，而愍怀太子却牵着武帝的衣角拉他去暗处。武帝问其原因，愍怀太子说担心有人作乱，在明处有危险。

卫懿好鹤[1]，鲁隐观鱼[2]。

【注释】

①卫懿好鹤：典出《左传·闵公二年》。春秋时，卫国的国君懿公喜欢养鹤，甚至让仙鹤享受臣子的待遇。当国家蒙难时，臣子提议让鹤出谋出战，可见君王失去人心，国家必亡。

②鲁隐观鱼：典出《左传·隐公五年》。春秋时，鲁国国君隐公要看捕鱼，大臣劝谏："凡与国家大事无关的事情，都不值得君王去关注。"

蔡伦造纸[1]，刘向校书[2]。

【注释】

①蔡伦造纸：典出《后汉书·宦者列传》。东汉宦官蔡伦改进造纸术，这种纸被时人称为"蔡侯纸"。

②刘向校书：典出《汉书·刘向传》。刘向受命校对书籍，在完成既定的任务之外，还为每部书都写了提要，从而形成了我国最早的目录学著作《别录》。

朱云折槛[①]，禽息击车[②]。

【注释】

①朱云折槛：典出《汉书·朱云传》。朱云上书请求斩杀奸臣，成帝得知其欲斩杀的是恩师张禹后勃然大怒，下令处死朱云。朱云拉住殿前栏杆大喊，以致栏杆被当场拉断。成帝最终感其忠直赦免了朱云，并命人修缮栏杆以表示对直臣的赞扬。

②禽息击车：典出《韩诗外传》。春秋时，秦国禽息为秦穆公举荐百里奚，秦穆公不用。禽息趁秦穆公出行时阻车撞柱而亡，受到触动的秦穆公由此任用了百里奚。

耿恭拜井[①]，郑国穿渠[②]。

【注释】

①耿恭拜井：典出《后汉书·耿恭传》。东汉时，耿恭镇守疏勒，因匈奴围城数日以致城中断水。耿恭对井拜祭，不久后泉水喷涌而出。匈奴以为耿恭得到神灵帮助，于是退兵。

②郑国穿渠：典出《史记·河渠书》。战国时，水工郑国被派到秦国，劝说秦王修长渠灌溉农田，原打算以此消耗秦国国力。工程过半后，秦国发现了郑国的企图要杀死郑国，而郑国则举出“水到渠成”的例子说服秦王，并宣称水渠修好之后对秦国有好处。后来水渠修成，果然帮助秦国增长了实力，因此这条水渠也被命名为“郑国渠”。

国华取印[①]，添丁抹书[②]。

【注释】

①国华取印：典出《宋史·曹彬传》。曹彬（字国华）一周岁时，父母以“抓周”来预测曹彬以后会做什么，结果曹彬左手拿兵器，右

手拿礼器，一会儿又拾起印章。后来，他做过节度使、枢密使、中书令，应验了预测。

②添丁抹书：出自唐代卢仝诗《示添丁》："忽来案上翻墨汁，涂抹诗书如老鸦。"借以表现儿子的顽皮程度。

细侯竹马①，宗孟银鱼②。

【注释】

①细侯竹马：郭伋（字细侯）曾于新莽政权时做并州牧并有恩于民，当他再次担任并州牧时，当地数百名儿童骑着竹马迎接他。

②宗孟银鱼：典出《东都事略·蒲宗孟传》。蒲宗孟担任翰林学士时，宋神宗说："翰林职清地近，而官仪未备，自今宜佩银鱼。"

管宁割席①，和峤专车②。

【注释】

①管宁割席：典出《世说新语·德行》。东汉名士管宁与华歆曾在锄草时挖到金块，管宁毫不在乎，华歆则仔细察看一番后才扔掉。读书时恰巧有高官路过，管宁不为所动，华歆则扔下书出门观看。这让管宁觉得自己与华歆的志向不一，不适合再在一起，于是割席断交。

②和峤专车：典出《晋书·和峤传》。和峤做中书令的时候，荀勖（xù）正好担任中书监，按当时的制度，两人上朝应坐同一辆车，但和峤看不起荀勖，总是独占整辆车子。

永和拥卷①，次道藏书②。

【注释】

①永和拥卷：典出《魏书·逸士传》。北魏时期的隐士李谧（字永和）拥万卷书籍，以读书为荣为乐，不肯做官。

②次道藏书：典出《曲洧（wěi）旧闻》。北宋学者宋敏求（字次道）藏书丰富，以至于学者们都想在他家附近租房以便借书，致使其周围房价攀升。

渭阳袁湛[①]，宅相魏舒[②]。

【注释】

①渭阳袁湛：典出《南史·袁湛传》。袁湛的外甥谢绚对他不礼貌，袁湛斥责谢家两代都没有舅甥情义，因为谢绚的父亲谢重也曾对自己的舅舅无礼。

②宅相魏舒：典出《晋书·魏舒传》。魏舒儿时寄居在舅舅家，舅舅家盖了新房让人来相宅，相宅人说这里会出一个显贵的外甥，家里人都认为所指就是魏舒。

镇周赠帛[①]，虑子驱车[②]。

【注释】

①镇周赠帛：典出《资治通鉴·唐纪》。张镇周回家乡做官，到任后的数十日里，先宴请亲朋好友吃饭作乐并赠送金帛，最后告诉他们从明天起自己就要以“官”的身份治理地方，与大家有了身份的差别，今后难以再讲情面。

②虙（fú）子驱车：典出《说苑·政理》。虙子贱做地方官临走之前，阳昼告诉他两个钓鱼心得：刚下鱼饵就咬钩的叫作“阳桥”，肉少无味；似咬不咬的是“鲂鱼”，肉厚鲜美。虙子还没到上任的地方，欧仁就前来迎接，虙子急忙命赶车人驱车快行，称“阳桥来了”。

廷尉罗雀[①]，学士焚鱼[②]。

【注释】

①廷尉罗雀：典出《史记·汲郑列传》。汉朝翟方进经历官场上的大起大落，先后经历了门庭若市与门可罗雀的处境。

②学士焚鱼：典出《古今事文类聚》。南北朝张褒在遭到弹劾后说：“只有青山不会负我。”后焚掉佩戴的银鱼（五品以上官员饰物）离职而去。

冥鉴季达①，预识卢储②。

【注释】

①冥鉴季达：典出《夷坚志》。南宋杨希仲（字季达）在做官之前以做私人教师养家糊口，曾自守节操拒绝主人家小妾的调情。后来，神明托梦告诉杨希仲的妻子，表示要授予其功名作为赞扬。第二年，杨希仲果然考中第一名。

②预识卢储：典出《太平广记·李翱女》。唐代人卢储拜见尚书李翱，请求其代为推荐。李翱十五岁的女儿恰好看见卢储的文卷，说此人必定会考中状元。于是李翱招他为女婿，卢储于次年高中状元之后，为女儿举办了婚礼。

宋均渡虎①，李白乘驴②。

【注释】

①宋均渡虎：典出《后汉书·宋均传》。宋均出任九江太守时，当地老虎甚多，宋均认为老虎多是因为贪官污吏过多，因而大举罢黜不合格的官吏，老虎也随之离开了。

②李白乘驴：典出《类说》。据传李白曾酒醉后骑驴路过华阴县衙，县令不准他骑驴，李白说自己曾使“贵妃捧砚，力士脱靴”，县令大惊，急忙谢罪，任其通行。

仓颉造字①，虞卿著书②。

【注释】

①仓颉造字：典出《说文解字》。仓颉是黄帝的史官，他观察鸟兽的足迹从而悟出类似的符号，进而创造了文字。

②虞卿著书：典出《史记·平原君虞卿列传》。战国时期，虞卿向赵孝成王游说，先后得到黄金百镒和上卿官职，后著书八篇，世称《虞氏春秋》。

班妃辞辇[①]，冯诞同舆[②]。

【注释】

①班妃辞辇：典出《汉书·外戚传》。汉成帝让班婕妤与自己共乘车辇，班婕妤提醒汉成帝，古代英明的君主都是让名臣与自己同辇，只有亡国之君才让嫔妃与自己同辇。

②冯诞同舆：典出《魏书·外戚传》。冯诞与魏孝文帝同年，幼时做过孝文帝的陪读，成年后娶了孝文帝的妹妹乐安公主，孝文帝常与他一起乘车、一起吃饭、一起睡觉。

七　虞

西山精卫[1]，东海麻姑[2]。

【注释】

①西山精卫：典出《山海经·北山经》。精卫原本是炎帝的小女儿，在东海玩耍溺死后变成鸟，常衔着西山的石子、树枝去填东海。

②东海麻姑：典出《神仙传·王方平》。麻姑是传说中的仙女，样貌十分年轻，年龄不可考究，她说自己曾三度看到东海变为桑田。

楚英信佛[1]，秦政坑儒[2]。

【注释】

①楚英信佛：典出《后汉书·光武十王列传》。楚王刘英是光武帝的儿子，晚年信佛。

②秦政坑儒：典出《史记·秦始皇本纪》。秦始皇曾遭受儒士诽谤，下令追查，将受到牵连的四百六十多人全部坑杀。

曹公多智[1]，颜子非愚[2]。

【注释】

①曹公多智：典出《魏书》。曹操攻打马超，与马超营中的韩遂对阵，结果马超军中将士争相观看曹操模样。曹操大笑回应说自己和普通人一样，只不过聪明些罢了。

②颜子非愚：典出《论语·为政》。颜回每次与孔子对话都不会提出不同的问题和意见，看起来很愚笨，但私下能够融汇、发展孔子的思想，实际上一点都不笨。

伍员覆楚[①]，勾践灭吴[②]。

【注释】

①伍员（yún）覆楚：典出《史记·伍子胥列传》。伍子胥在全家被楚平王杀害后，逃入吴国成为重臣，并率领吴军攻陷楚国，从而为家人报仇。

②勾践灭吴：典出《史记·越王勾践世家》。越国被吴国打败后，越王勾践做了吴王的奴仆，回国后便卧薪尝胆，最终灭掉了吴国。

君谟龙片[①]，王肃酪奴[②]。

【注释】

①君谟（mó）龙片：典出《归田录》。“龙团”是福建茶中的极品，宋仁宗时，蔡襄（字君谟）在福建独制的小片龙团，十分贵重难得。

②王肃酪（lào）奴：典出《洛阳伽蓝记》。南朝王肃初到北魏时吃不惯牛羊肉和奶酪，习惯北方食物后，在宴会上称鱼只能做小国的菜肴，茶水只能算奶酪的奴仆，遭到别人的讥笑。

蔡衡辨凤[①]，义府题乌[②]。

【注释】

①蔡衡辨凤：典出《决录注》。东汉年间，华阴县出现一种神鸟，众人都说是凤，只有蔡衡说这是鸾不是凤，因为根据书中记载，鸾身上青色羽毛最多。

②义府题乌：典出《大唐新语》。唐太宗命令大臣李义府以乌鸦为题作诗，李义府吟道：“日里飏朝彩，琴中伴夜啼。上林许多树，不借一枝栖。”唐太宗大加赞赏，越级提拔了他。

苏秦刺股[①]，李勣焚须[②]。

【注释】

①苏秦刺股：典出《战国策》。苏秦开始做说客的时候，连续

几年都毫无成效，于是发愤读书，每次瞌睡时都用锥子扎自己的大腿，惊醒自己，然后继续读书。一年后，他再次游说各国，终于得到重用。

②李勣（jì）焚须：典出《隋唐嘉话》。李勣做宰相之后，依然坚持下厨为自己生病的姐姐熬粥，致使胡须经常被火烧掉。

介诚狂直①，端不糊涂②。

【注释】

①介诚狂直：典出《宋史·石介传》。石介为人耿直，无论是做官还是写文章，在抨击违法无德之人的时候从不顾忌，被世人称为“狂直”。

②端不糊涂：典出《宋名臣言行录》。宋太宗评价吕端“小事不明白，大事不糊涂”，坚持任用吕端做宰相。

关西孔子①，江左夷吾②。

【注释】

①关西孔子：典出《后汉书·杨震传》。东汉学者杨震自幼好学，且知识渊博，因祖籍在函谷关以西，所以有“关西孔子”的美誉。

②江左夷吾：典出《世说新语·言语》。东晋时期，温峤原本忧虑江左的时局，与王导见面后，认为王导是堪比管仲（名夷吾）的人物，因而消除了忧虑。

赵抃携鹤①，张翰思鲈②。

【注释】

①赵抃（biàn）携鹤：典出《名臣碑传琬琰集》。北宋大臣赵抃为官清廉，每次赴任时仅带一具古琴，一只仙鹤。

②张翰思鲈：典出《世说新语·识鉴》。西晋时期，张翰在洛阳做官，某日忽然想念家乡鲈鱼的味道，感慨人生应当寻求自在，而不是委屈自己跑到千里之外做官，于是罢官回乡。

李佳国士[①]，聂悯田夫[②]。

【注释】

①李佳国士：典出《太平广记》。东汉时期，李膺预言同县之人聂季宝将来必成国士，最终果如其言。

②聂悯田夫：唐代诗人聂夷怜悯田夫，写了一首《伤田家》："二月卖新丝，五月粜新谷。医得眼前疮，剜却心头肉。我愿君王心，化作光明烛。不照绮罗筵，遍照逃亡屋。"

善讴王豹[①]，直笔董狐[②]。

【注释】

①善讴王豹：典出《孟子·告子下》。春秋时期，歌唱家王豹居住在淇水岸边，在他的影响下黄河以西的人都擅长歌唱。

②直笔董狐：典出《左传·宣公二年》。春秋时期，史官董狐以不畏权贵而闻名。孔子赞其曰："董狐，古之良史也，书法不隐。"

赵鼎倔强[①]，朱穆专愚[②]。

【注释】

①赵鼎倔强：典出《宋史·赵鼎传》。南宋大臣赵鼎生性倔强，因不同意与金朝议和而被贬官，贬官后仍上书，称自己没有多少时间了，但一颗丹心未泯，志向不会松动。

②朱穆专愚：典出《后汉书·朱穆传》。朱穆醉心于学习而达到忘我的地步，有时思考问题连帽子丢了都不知道，被身边人认为太过愚笨。

张侯化石[①]，孟守还珠[②]。

【注释】

①张侯化石：典出《博物志》。一天雨后，张颢见一只像山雀的鸟在空中越飞越低，百姓把它打下来后，鸟坠落在地上化为圆石，张颢把石头破开，里面原来是枚金印，印文为"忠孝侯印"。

②孟守还珠：典出《后汉书·循吏列传》。东汉年间，孟尝任职地区本应有很多生产珍珠的蚌，但因前任太守过于贪婪，蚌的数量锐减，孟尝下令停止捕捞蚌，过了一年，所管辖海域的蚌数量增多，而且皆产优质珍珠。

毛遂脱颖[1]，终军弃繻[2]。

【注释】

①毛遂脱颖：典出《史记·平原君虞卿列传》。秦国围攻赵国，赵国平原君选择门客跟随自己去楚国求援，毛遂自荐，最后果然助其谈判成功。

②终军弃繻（rú）：典出《汉书·终军传》。西汉时期，终军入函谷关求学，守关人给他一张繻（出入关凭证），而终军却抱着外出求学不回头的志向，将繻丢掉了。

佐卿化鹤[1]，次仲为乌[2]。

【注释】

①佐卿化鹤：典出《太平广记》。唐玄宗射箭射中一只仙鹤，看着仙鹤向西南飞去不可得。当时有个叫徐佐卿的四川道士，外出回道馆时身中一箭，他对道童说身上的箭不是凡间之物，挂在墙上可等待主人来取。两年后“安史之乱”爆发，唐玄宗逃到蜀中在徐佐卿的道观避难，发现这支箭，才知道自己当年所射中的仙鹤就是徐佐卿。

②次仲为乌：典出《太平广记》。王次仲隐居山中，在篆书的基础上创造出隶书，秦始皇派人多次召见均被拒，最后秦始皇下令若王次仲再敢拒绝就杀掉，结果王次仲变成一只乌鸦飞走了。

韦述杞梓[1]，卢植楷模[2]。

【注释】

①韦述杞梓：典出《白孔六帖》。唐玄宗时期，韦述兄弟五人同朝为官，被宰相张悦评价为：“韦赵兄弟，人之杞梓。”

②卢植楷模：典出《后汉书·卢植传》。曹操在路过涿郡时评价卢植："名声海内，儒家宗师，人之楷模，国之栋梁。"

士衡黄耳①，子寿飞奴②。

【注释】

①士衡黄耳：典出《述异记》。西晋时期，陆机（字士衡）有一只名叫黄耳的狗，帮他从洛阳带家书回老家，又从老家带了回信到洛阳。

②子寿飞奴：典出《开元天宝遗事》。张九龄（字子寿）养了很多信鸽，能将信件准确送到正确的人家，所以张九龄给这些信鸽取名为"飞奴"。

直笔吴兢①，公议袁枢②。

【注释】

①直笔吴兢（jīng）：典出《新唐书·吴兢传》。吴兢是唐代史官，他在撰写《武则天实录》时如实记载了张昌宗诱使张说诬陷魏元忠的事。张说为相后，屡次恳求他更改，吴兢回绝道："若拘私情那还叫什么实录？"

②公议袁枢：典出《宋史·袁枢传》。南宋史学家袁枢在编修国史时，拒绝为同乡写好话。他认为，自己身为史官，宁可对不起同乡之情，也不可对不起天下人之意。

陈胜辍锸①，介子弃觚②。

【注释】

①陈胜辍锸（chā）：典出《史记·陈涉世家》。陈胜起义之前以替人耕田谋生，在休息时说出"苟富贵，勿相忘"，引来一同耕田的人的讥笑，被说成是痴人说梦。陈胜叹道："燕雀安知鸿鹄之志！"

②介子弃觚（gū）：典出《西京杂记》。汉代傅介子十四岁时

把觚（写字的木简）扔掉，扬言大丈夫应到异国建功立业，后来多次出使西域，建立功绩。

谢名蝴蝶①，郑号鹧鸪②。

【注释】

①谢名蝴蝶：典出《古今诗话》。宋代诗人谢逸一生创作三百首蝴蝶诗，被称为“谢蝴蝶”。

②郑号鹧鸪：典出《古今诗话》。唐代诗人郑谷曾作《鹧鸪诗》，被称为“郑鹧鸪”。

戴和书简①，郑侠呈图②。

【注释】

①戴和书简：典出《云仙杂记》。汉代戴和每结交一位挚友就会将对方的名字写在竹简之上，然后在先祖灵位前禀告。这卷书简后来被称为“金兰簿”。

②郑侠呈图：典出《宋史·郑侠传》。宋神宗时期，郑侠请画师将北方正在发生的饥荒灾情画下来，并呈献给神宗。

瑕丘卖药①，邺令投巫②。

【注释】

①瑕丘卖药：典出《列仙传》。据传唐代瑕丘仲卖药百余年，后因地震而死。有个贪婪的人将其尸体抛入江河，拿走他的药谋利。后来，瑕丘仲前来索药，那个贪婪的人跪地求饶。

②邺令投巫：典出《史记·滑稽列传》。邺城有“河伯娶妻”的习俗，后来西门豹在此地做县令，以向河伯传递信息为由将巫婆与豪强投入河中，使恶习消失。

冰山右相①，铜臭司徒②。

【注释】

①冰山右相：典出《开元天宝遗事》。唐代杨国忠做宰相后，时

人均伺机巴结，希望得到赏识，只有进士张彖（tuàn）漠然置之，他说世人都把杨国忠当作可以依靠的泰山，我只怕他是座冰山，经不起太阳久晒。

②铜臭司徒：典出《后汉书·崔烈传》。东汉时期，崔烈花五百万买下司徒的职务，位列三公。他问儿子崔钧世人如何看待自己，崔钧回答："原本你名望很高，但如今世人认为您一身铜臭。"

武陵渔父[①]，闽越樵夫[②]。

【注释】

①武陵渔父：典出《陶渊明集·桃花源记》。武陵一位渔夫捕鱼时误入桃花源，那里的人过着自给自足的生活，不被外界烦扰。

②闽越樵夫：典出《淳熙三山志》。闽越一位樵夫，因追寻一头白鹿而误入石门世外桃源。

渔人鹬蚌[①]，田父㕙卢[②]。

【注释】

①渔人鹬（yù）蚌：典出《战国策·燕策》。战国时期，燕赵两国交战，燕国使者苏代以"鹬蚌相争，渔翁得利"的故事劝说赵王，让其提防秦国。

②田父㕙（jùn）卢：典出《战国策·齐策》。战国时期，齐国攻打魏国，齐国大臣淳于髡以"猎狗追狡兔，农夫双擒之"的故事提醒齐王，不要让齐国做了猎狗，追魏国这只狡兔的时候，让秦国和楚国成为农夫，享受现成的好处。

郑家诗婢[①]，郗氏文奴[②]。

【注释】

①郑家诗婢：典出《世说新语·文学》。东汉郑玄家中的奴婢都很有学问，有时问答皆引用《诗经》语句。世人称这些懂得《诗经》的婢女为诗婢。

②郗（xī）氏文奴：典出《世说新语·品藻》。晋代郗鉴之子郗愔（yīn）家中有个奴仆精于创作文章，郗愔的姐夫王羲之称其为“文奴”。

卷　二

八　齐

子晋牧豕[1]，仙翁祝鸡[2]。

【注释】

①子晋牧豕：典出《列仙传》。汉代商人丘子晋以养猪为生，平日吃菖蒲根、饮泉水，古稀之年仍不显老，世人认为他是仙人。

②仙翁祝鸡：典出《列仙传》。据传一个姓祝的养鸡老翁，给自己养的几千只鸡都取了名字，只要叫喊鸡的名字，就能让它们回笼。

武王归马[1]，裴度还犀[2]。

【注释】

①武王归马：典出《史记·周本纪》。武王灭商朝之后，将战马放养到华山南边，以表示停止干戈的意愿。

②裴度还犀：典出《唐摭（zhí）言》。裴度第一次算命时，相士说其可能会饿死，之后裴度将拾到的一条犀角腰带还给了失主，再碰到相士的时候，相士说他做了好事会转运为富贵。最终，裴度做到了宰相的职位。

重耳霸晋[1]，小白兴齐[2]。

【注释】

①重耳霸晋：典出《史记·晋世家》。晋文公重耳曾流亡在外达十九年之久，后来得楚成王、秦穆王相助，终于回到晋国成为国君。城濮之战得胜以后大会诸侯，成为“春秋五霸”之一。

②小白兴齐：典出《史记·齐太公世家》。齐桓公小白，在任用管仲为相后实现了振兴齐国的愿望，并成为“春秋五霸”中的第一位。

景公禳慧[1]，窦俨占奎[2]。

【注释】

①景公禳（ráng）慧：典出《史记·齐太公世家》。齐景公时，天空中出现了被认为不祥的彗星征兆。景公希望通过禳（祈祷）来消除灾祸，而晏婴则说：“对一个人的灾祸可能是对万人的福气，一个人祈祷如何能抵得过万人的祈祷呢？”

②窦俨占奎：典出《东都事略·窦俨传》。北宋时期，窦俨预言：“岁在丁卯，五星将在奎宿相聚，奎主文明，天下将太平。”到了丁卯年，天上果然出现了五星相聚于奎宿的星象，北宋也统一了中原地区。

卓敬冯虎[1]，西巴释麑[2]。

【注释】

①卓敬冯（píng）虎：典出《涌幢小品》。明朝时，卓敬在回家途中遇上暴风雨，到一所茅舍避雨，并向隐士借了一头青牛当作坐骑以便回家。当卓敬到家后，这头青牛立即化身黑虎走掉了。冯，通“凭”，凭借。

②西巴释麑（ní）：典出《韩非子·说林》。春秋时期，秦西巴是鲁国大夫孟孙的家臣。一次，孟孙捕捉到一只小鹿，让秦西巴送回家，而母鹿一路跟随、哀叫，秦西巴心怀仁慈，就将小鹿放走了。孟孙一气之下将秦西巴赶走，三个月后又请他回来做自己儿子的老师。

信陵捕鹞[1]，祖逖闻鸡[2]。

【注释】

①信陵捕鹞：典出《列士传》。魏国信陵君吃饭时，遇到一只斑鸠钻到自己的桌案下逃命，信陵君看到窗外有等待捕食斑鸠的鹞

鹰，于是一直等到鹞鹰走了才将斑鸠放生，没想到斑鸠还是被藏在屋顶等候的鹞鹰吃掉了。信陵君认为自己有负于斑鸠，于是命人捕捉了三百只鹞鹰，杀掉了吃掉斑鸠的那一只，其他放生。

②祖逖（tì）闻鸡：典出《晋书·祖逖传》。东晋时期，祖逖与好友刘琨一起做官，半夜听到鸡鸣就起床舞剑。世称“闻鸡起舞”，后喻指像祖逖这样发愤图强的人。

赵苞弃母[1]，吴起杀妻[2]。

【注释】

①赵苞弃母：典出《后汉书·独行列传》。东汉时期，赵苞担任辽西太守时，恰逢鲜卑族入侵中原，并将赵苞的母亲当作人质。赵苞的母亲鼓励儿子奋勇作战，不必顾忌她的安危。赵苞打败敌人后归家葬母，呕血而死。

②吴起杀妻：典出《史记·孙子吴起列传》。战国时期，齐国与鲁国交战，吴起为表达自己对鲁国的忠心，将自己身为齐人的妻子亲手杀死。

陈平多辙[1]，李广成蹊[2]。

【注释】

①陈平多辙：典出《史记·陈丞相世家》。西汉陈平年轻时家中贫穷，但相貌齐伟，且常有身份显赫之人登门求教，所以门前留下了很多车马的辙痕。张负对陈平十分器重，将自己的孙女嫁给了他。

②李广成蹊：典出《史记·李将军列传》。汉朝名将李广虽然不善言辞，但十分受人尊敬，世人用“桃李不言，下自成蹊”来形容他。

烈裔刻虎[1]，温峤燃犀[2]。

【注释】

①烈裔刻虎：典出《拾遗记》。秦朝时期，著名工匠烈裔用玉

雕成各种动物，还在其胸前刻上日期，但唯独不点眼睛，称点眼睛后会活。秦始皇不信，命烈裔为两只老虎各点了一只眼睛，过了十天两只老虎都消失了。第二年，有人进贡两只独眼白虎，其胸前有日期。

②温峤燃犀：东晋时期，温峤路过牛渚时，此地有深不可测的水潭，温峤点燃犀牛角照射，看到水族怪物。而后水族怪物托梦于温峤，他醒来后便心感不适，不久就因病去世了。

梁公训雀①，茅容割鸡②。

【注释】

①梁公训雀：典出《白孔六帖》。狄仁杰（死后追封梁国公）的母亲过世之后，有白雀飞来吊丧，就像是受过驯养的一样，被时人视为吉兆。

②茅容割鸡：典出《后汉书·郭泰传》。东汉名士茅容，当着借宿在此的客人郭泰的面杀鸡，将做好的鸡肉端给母亲食用，自己依然与郭泰一起吃简陋的食物。郭泰并没有因此而感到不悦，反而更加敬重茅容。

九　佳

禹钧五桂[①]，王祐三槐[②]。

【注释】

①禹钧五桂：典出《类说·窦氏五龙》。冯道称赞窦禹钧的五个儿子相继高中进士，作诗道："燕山窦十郎，教子有义方。灵椿一株老，丹桂五枝芳。"

②王祐三槐：典出《石林燕语》。王祐因故被贬官后，在院中种了三棵槐树，坚信自己的子孙中必定有人可以担任三公，后来他的儿子王旦果然成为宰相。

同心向秀[①]，肖貌伯偕[②]。

【注释】

①同心向秀：典出《晋书·向秀传》。向秀是西晋著名文人，与山涛、嵇康等人关系极好，是"竹林七贤"之一。

②肖貌伯偕：典出《风俗通》。汉代张伯偕与弟弟张仲偕长得非常相像，甚至连仲偕的妻子也时常认错。

袁闳土室[①]，羊侃水斋[②]。

【注释】

①袁闳（hóng）土室：典出《后汉书·袁闳传》。袁闳打算过隐居的生活，于是在自家院子中盖起一座土屋，把自己关在土屋中避世，但每日必向东方跪拜，以表示对母亲的尊敬。

②羊侃水斋：典出《梁书·羊侃传》。南朝人羊侃，赴任时将两条船绑在一起，在船上搭建了三间房子，取名为"水斋"。

敬之说好[①]，郭讷言佳[②]。

【注释】

①敬之说好：典出《唐诗纪事》。唐代杨敬之夸赞后辈项斯的文采，有诗云："几度见君诗尽好，及观标格胜于诗。平生不解藏人善，到处逢人说项斯。"因此，后人提到替别人说好话的事情时，一般用"说项"来代指。

②郭讷言佳：典出《晋纪》。西晋名士郭讷夸奖歌妓唱歌好听，石崇问其曲名，郭讷不知。石崇又问："不知什么曲子，怎么说好？"郭讷回答："如见西施，不需知其姓名亦知其美。"

陈瓘责己[①]，阮籍咏怀[②]。

【注释】

①陈瓘（guàn）责己：典出《陈瓘集》。北宋陈瓘曾特别写了一篇文章，批评自己不知道程颐这样的贤者。

②阮籍咏怀：典出《晋书·阮籍传》。三国时期，诗人阮籍曾以《咏怀》为题写了八十多首诗，虽然文字晦涩难懂，但依然被当时学者看重。

十　灰

初平起石①，左慈掷杯②。

【注释】

①初平起石：典出《神仙传》。东晋时期，黄初平在放羊时失踪，他的哥哥用四十年时间找到他后，又顺着他的指点去找羊，结果只找到很多大石头。黄初平大喊一声，地上的石头就都起身变成了羊，与四十年前相比一只没少。

②左慈掷杯：典出《神仙传》。东汉时期，有一次曹操举行宴会，左慈将手中酒杯扔向房梁，酒杯盘旋在空中掉不下来，待在场之人都看杯子时，左慈消失了。

名高麟阁①，功显云台②。

【注释】

①名高麟阁：典出《汉书·苏武传》。汉宣帝晚年时，凡是有功的大臣的画像都被挂在麒麟阁中供后人瞻仰。

②功显云台：典出《后汉书》。汉明帝将二十八位开国将领的画像挂在云台，后世称之为“云台二十八将”。

朱熹正学①，苏轼奇才②。

【注释】

①朱熹正学：典出《宋史·朱熹传》。南宋朱熹堪称“儒家思想的集大成者”，对儒学经典有着深入的研究，被认为是“孔孟”学派的正宗传人。

②苏轼奇才：典出《宋史·苏轼传》。宋哲宗时期，太皇太后对苏轼说：“先帝每次看你的文章都连称‘奇才’，可惜没等重用你，他就仙逝了。”

渊明赏菊[1]，和靖观梅[2]。

【注释】

①渊明赏菊：典出《续晋阳秋》。陶渊明辞官隐居后，有一年重阳节他摘下菊花自赏。

②和靖观梅：典出《西湖游览志》。北宋林逋（谥号和靖）隐居时，家中四周种满梅树，同时养了两只仙鹤，被世人称为“以梅为妻，以鹤为子”。

鸡黍张范[1]，胶漆陈雷[2]。

【注释】

①鸡黍张范：典出《后汉书·独行列传》。张劭与范式为太学同窗，分别归乡时，范式许诺第二年去张劭家中拜访。第二年约定时间将近，张劭让母亲准备丰盛的饭菜，并坚信范式必定守信。范式果然如约拜访。

②胶漆陈雷：典出《后汉书·独行列传》。陈重与雷义是挚友，两人同时被举为孝廉，同时官拜中书郎。世人称赞他们：“胶漆自谓坚，不如陈与雷。”

耿弇北道[1]，僧孺西台[2]。

【注释】

①耿弇（yǎn）北道：典出《后汉书·耿弇传》。耿弇为东汉开国功臣，光武帝刘秀赞他为“北道主人”，他帮助刘秀攻下了青州十二郡（今山东一带）。

②僧孺西台：典出《剧谈录·御史滩》。牛僧孺曾任伊阙（今属河南）县尉，当地传说河中水位下降露出河滩时，就有人当大官。一日，伊阙县河滩露出，不久后牛僧孺果然官升长安监察御史（西台为御史台的通称）。

建封受贶[1]，孝基还财[2]。

【注释】

①建封受贶（kuàng）：典出《幽闲鼓吹》。唐代尚书裴宽赏识尚未得志、生活窘迫的张建封，将所带的钱财和婢女都赠给了张建封。

②孝基还财：典出《泊宅编》。宋代张孝基的妻弟年少时乖张放纵，岳父将其赶出家门而把所有财产留给了张孝基。后来，张孝基遇见沦为乞丐的妻弟，将其接回家，发现其已懂事干练，于是将财产还给了妻弟。

准题华岳[1]，绰赋天台[2]。

【注释】

①准题华岳：典出《陈辅之诗话》。寇准八岁时以"华山"为题作诗："只有天在上，更无山与齐。"语惊四座。

②绰赋天台：典出《世说新语·文学》。东晋文学家孙绰听说天台山秀美，便托人带回一幅天台山画作，并根据画中风景，写了一首《天台山赋》。

穆生决去[1]，贾郁重来[2]。

【注释】

①穆生决去：典出《汉书·楚元王传》。穆生与楚元王刘交年轻时同窗，因穆生不喜欢饮烈酒，所以每次宴会刘交都为其准备甜米酒。待刘交的子嗣继承王位后，在一次宴会中没有为穆生准备米酒，穆生认为新楚王不尊重自己，于是辞官离去。

②贾郁重来：典出《九国志》。五代时期，贾郁在仙游县做官，离职时发现一个小吏当职酒醉，称如果再回来任职一定严惩，小吏不以为然。几年后，贾郁果然回到仙游县，并抓到这个小吏偷盗国库钱财，对其判处重刑。

台乌成兆[1]，屏雀为媒[2]。

【注释】

①台乌成兆：典出《旧唐书·柳仲郢（yǐng）传》。柳仲郢担任谏议大夫后，每次升官时都有大群乌鸦聚集院中，五天才散去。台乌，即乌台，汉代御史大夫朱博在府中种植柏树，引来乌鸦栖息，所以后世称御史台为“乌台”。

②屏雀为媒：典出《旧唐书·后妃传》。隋朝时期，窦毅选女婿，让备选者用弓箭射屏风上孔雀的眼睛，且每人只能射两箭。最终，唐高祖李渊两箭射中孔雀的两只眼睛，娶了窦毅的女儿。

平仲无术[1]，安道多才[2]。

【注释】

①平仲无术：典出《宋史·寇准传》。张咏推荐寇准（字平仲）看《汉书·霍光传》，以此提醒寇准积累才学，切忌不学无术。

②安道多才：典出《宋史·张方平传》。张方平（字安道）少年时极为聪明，向他人借阅《史记》《汉书》等书籍，只用十天内就能通晓全文，写文章一挥而就。

杨亿鹤蜕[1]，窦武蛇胎[2]。

【注释】

①杨亿鹤蜕：典出《本朝名臣传》。传说宋代文学家杨亿出生前，他的母亲梦见一个身披仙羽的人来投胎，之后生下一只仙鹤，仙鹤在河边化身婴儿，这个婴儿就是杨亿。

②窦武蛇胎：典出《搜神记》。传说东汉大将窦武的母亲分娩时同时生下一条蛇，家人将蛇放生。后来当窦武的母亲去世时，一条大蛇突然出现并用头撞击棺木，眼中流出血泪。

湘妃泣竹[1]，钼麑触槐[2]。

【注释】

①湘妃泣竹：典出《博物志》。舜帝南巡时死在了苍梧，娥皇、女英（两人是湘水女神，又称为湘妃）痛哭时的眼泪落在竹子上，使得竹子上出现了斑点，世称湘妃竹。

②钼麑（chú ní）触槐：典出《左传·宣公二年》。钼麑接受晋灵公的委派去刺杀赵盾，被赵盾为民的仁心和对国家的忠心感动，但又想到不能有辱使命，最终选择撞槐树自尽。

阳雍五璧[1]，温峤一台[2]。

【注释】

①阳雍五璧：典出《搜神记》。汉代人阳伯雍设免费茶摊，一人喝完茶后送他一包种子，扬言能种出美玉。后来阳伯雍向当地一个徐姓人家求亲，徐家要求用玉璧作为聘礼，于是阳伯雍找到埋种子的地方，从土中挖出五对玉璧，最终娶得美妻。

②温峤一台：典出《世说新语·假谲（jué）》。东晋时期，丧妻后的温峤想娶自己表姑家的女儿，于是假说有一个和自己条件相似的人，并用一枚玉镜台作为聘礼，最终如愿以偿。

十一　真

孔门十哲[1]，殷室三仁[2]。

【注释】

①孔门十哲：典出《旧唐书·礼仪志》。自唐代起，官方祭祀孔子时将其弟子画像放在两侧，有这个资格的共十人，世称“孔门十哲”，分别是子渊、子骞、伯牛、仲弓、子有、子贡、子路、子我、子游、子夏。

②殷室三仁：典出《论语·微子》。孔子评述商朝有三位仁者，分别是装傻的箕子、出走的微子、被害的比干。

晏能处己[1]，鸿耻因人[2]。

【注释】

①晏能处己：典出《世说新语·夙惠》。三国时何晏之母改嫁曹操，但何晏始终不愿做曹操的养子，曹操只好放何晏自己回家。

②鸿耻因人：典出《东观汉记·梁鸿传》。汉代梁鸿以依靠他人为耻，即使是做饭，也要另起炉灶。

文翁教士[1]，朱邑爱民[2]。

【注释】

①文翁教士：典出《汉书·循吏传》。西汉时期，文翁担任蜀郡太守时，注重文风教化，他派人到京城求学，然后回蜀中办学，给成绩好的学生直接安排政务工作。一时间，蜀郡文化得到迅速发展。

②朱邑爱民：典出《汉书·循吏传》。西汉时期，朱邑虽然只当了一个小吏，但非常爱护百姓，死后被葬在桐乡西郊，百姓自发为其设立祠堂。

太公钓渭[①]，伊尹耕莘[②]。

【注释】

①太公钓渭：典出《史记·齐太公世家》。姜太公在渭水边垂钓时遇到周文王，被文王拜作周的宰相。

②伊尹耕莘（shēn）：典出《孟子·万章》。伊尹原本是莘氏土地上的一位农夫，听说商汤是位明主，想要辅佐他。恰逢莘氏将女儿嫁给商汤，于是伊尹主动做了陪嫁的仆从，在得到商汤赏识后，官至宰相。

皋惟团力[①]，泌仅献身[②]。

【注释】

①皋惟团力：典出《新唐书·李皋传》。李皋用团战整合力量的方法训练士兵，最终打败了李希烈的叛军。

②泌仅献身：典出《资治通鉴·唐纪》。唐代宗时，某年端午节，除李泌外的满朝文武都向代宗进献了宝物，代宗问其中的缘故，李泌说："我住在禁中，从头巾到鞋子，所有衣物都是陛下赐给的，所余仅有一身，有什么可以献上的呢。"代宗欣喜说道："朕就想要李卿家本人，为朝廷献力。"

丧邦黄皓[①]，误国章惇[②]。

【注释】

①丧邦黄皓：典出《三国志·蜀志·董允传》。蜀汉后期，宦官黄皓一手遮天，以谗言误导刘禅，最终导致蜀国灭亡。

②误国章惇（dūn）：典出《宋史·章惇传》。宋神宗时，王安石变法实施过程中，章惇因为过分拥护变法而打击保守派，被后人认为是误国的做法。

鞅更秦法[①]，普读鲁《论》[②]。

【注释】

①鞅更秦法：典出《史记·商君列传》。在商鞅的主持下，秦国

通过变法实现了富国强兵。

②普读鲁《论》：典出《鹤林玉露》。北宋时期，赵普称自己是依靠半部《论语》来辅佐宋太祖平定天下的。

吕诛华士[1]，孔戮闻人[2]。

【注释】

①吕诛华士：典出《韩非子·外储说右上》。吕尚（姜太公）召见华士（当时的齐地名士），先后三次召见都被拒绝，最终吕尚将其诛杀。

②孔戮闻人：典出《荀子·宥坐》。孔子任鲁国丞相后杀掉了当时的著名学者少正卯，子贡问其中的缘故，孔子说："此人虽然博学但个性险恶，是个有思想的小人，不可不杀。"

暴胜持斧[1]，张纲埋轮[2]。

【注释】

①暴胜持斧：典出《汉书·隽不疑传》。汉武帝时，暴胜之拿着斧头催促下属镇压起义，很多办事不力的官员都被他就地处死。后来，隽不疑说他以威严行事并非全错，但应伴以恩义。最终，暴胜之改变了这种做法。

②张纲埋轮：典出《后汉书·张纲传》。汉顺帝曾选派八名官员巡视全国，其中，张纲将车轮埋在土里，执意上书弹劾大将军梁冀，显示矢志不渝的坚定决心。

孙非识面[1]，韦岂呈身[2]。

【注释】

①孙非识面：典出《石林燕语》。北宋时期，孙抃（biàn）不愿"识面台官（徇私举荐）"，所以推荐了完全不认识，但名声和能力显著的唐介和吴敦复做御史。

②韦岂呈身：典出《新唐书·韦澳传》。高元裕想要举荐韦澳担任御史之职，于是让韦澳的哥哥通知韦澳来拜见自己，韦澳不愿前

往，说自己岂能做“呈身（主动投靠的）御史”。

令公请税①，长孺输缗②。

【注释】

①令公请税：典出《晋书·裴楷传》。西晋时期，裴楷（世称裴令公）每年都向梁王、赵王请求用封国内的租税接济穷人。

②长孺输缗（mín）：典出《鹤林玉露》。宋代官员杨长孺离任之前，把自己积攒的俸禄拿出来，为贫民交了租税。缗，古代一千文钱为“一缗”。

白州刺史①，绛县老人②。

【注释】

①白州刺史：唐代文人薛稷将“纸”封为“楮国公”，官封“白州刺史”，并统领“万字”军队。

②绛县老人：典出《左传·襄公三十年》。杞地筑城的工人中，有一位七十三岁的绛县老人，此事被晋国正卿赵武知道后，请来这位老人向其道歉，并任命老人为官。

景行莲幕①，谨选花裀②。

【注释】

①景行莲幕：典出《南史·庾杲（gǎo）之传》。南朝时期，齐国人庾杲之（字景行）成为大臣王俭的幕僚。时人将王俭的幕府称为莲花池，“莲幕”之说由此得来。

②谨选花裀（yīn）：典出《开元天宝遗事》。许慎（字谨选）为人不拘小节，与亲朋在花园对饮时从不安排座位，而是以落下的花瓣为坐垫。

郗超造宅①，季雅买邻②。

【注释】

①郗超造宅：典出《世说新语·栖逸》。东晋时期，大臣郗超十

分爱才，只要听说了品德高尚、学识渊博的隐士，就为其建造住宅，并赠予百万资产。

②季雅买邻：典出《南史·吕僧珍传》。南朝时期，宋季雅辞官后花费一千一百万在吕僧珍家附近买了套宅院，宣称是用一百万买房子，一千万买好邻居（指吕僧珍）。

寿昌寻母[①]，董永卖身[②]。

【注释】

①寿昌寻母：典出《梦溪笔谈》。北宋时期，朱寿昌的母亲因为身为小妾，在朱寿昌七岁时被嫁给了别人。朱寿昌长大后放弃做官四处寻找母亲，最终如愿。

②董永卖身：典出《搜神记》。西汉时期，董永因家中贫寒，在父亲死去后只能通过卖身来埋葬父亲。

建安七子[①]，大历十人[②]。

【注释】

①建安七子：典出《典论·论文》。汉献帝时期，孔融、陈琳、王粲、徐干、阮瑀、应玚、刘桢七人合称为“建安七子”。

②大历十人：典出《新唐书·文艺列传》。唐代宗大历年间，李端、卢纶、吉中孚、韩翃（hóng）、钱起、司空曙、苗发、崔峒（dòng）、耿湋（wéi）、夏侯审等十位诗人合称“大历十才子”。

香山诗价[①]，孙济酤缗[②]。

【注释】

①香山诗价：典出《白氏长庆集序》。白居易（号香山居士）作诗千篇，引得读书人争相誊抄。当时，鸡林国商人来大唐买白居易的诗词，回国后卖给鸡林国宰相，一首诗一两黄金。

②孙济酤（gū）缗（mín）：孙济好喝酒，经常喝醉且到处欠债，对他人的嘲笑毫不在乎，甚至想把自己身上的袍子卖了换酒钱。酤缗，买酒钱。

令严孙武[①]，法变张巡[②]。

【注释】

①令严孙武：典出《史记·孙子吴起列传》。春秋时期，吴王让孙武训练宫女，孙武将其分成两队训练，起初秩序混乱，孙武将身为队长的两位宠妃处斩后，宫女们变得非常遵守秩序。

②法变张巡：典出《新唐书·忠义传中》。张巡统兵时不按古法统一辖制，而是让各部将见机行事，这正是针对少数民族作战没有固定模式之特点的最佳战术。

更衣范冉[①]，广被孟仁[②]。

【注释】

①更衣范冉：典出《后汉书》。东汉范冉年轻时家贫，与和他关系很好的尹苞共用一件正装。拜访他人时，两人只能前后登门拜见。

②广被孟仁：典出《吴录》。三国时期，吴国孟宗（后改名仁）的母亲为他缝制一床大被，希望孟宗能与寒门学者同盖大被，从而受到好的熏陶。

笔床茶灶[①]，羽扇纶巾[②]。

【注释】

①笔床茶灶：典出《全唐文·甫里先生传》。唐代文学家陆龟蒙喜欢带着书、笔床（笔架）、茶具、钓具等，乘一艘小船四处游玩。

②羽扇纶巾：典出《语林》。诸葛亮与司马懿在渭水之滨交战，诸葛亮头戴纶巾，手持羽扇，神态自若地指挥三军。

灌夫使酒[①]，刘四骂人[②]。

【注释】

①灌夫使酒：典出《史记·魏其武安侯列传》。西汉时期，武将

灌夫为人耿直，在一次酒醉后大骂丞相田蚡（fén），为自己招来杀身之祸。

②刘四骂人：典出《旧唐书·刘祎（yī）之传》。隋唐年间，刘子翼总是当面指出朋友的过错，从不背后道人长短。李百药赞叹说："李四骂人严厉，但从来没有人怨恨他。"

以牛易马①，改氏为民②。

【注释】

①以牛易马：典出《晋书·元帝纪》。预言书《玄石图》中记载了"牛继马后"的传说。司马懿担心牛姓之人会代替自己，因此毒杀了大将牛金。没想到最后东晋元帝就是恭王司马觐的妃子夏侯氏与小吏牛某私通所生。

②改氏为民：典出《三国志·吴志·是仪传》。是仪原本姓"氏"，后来因为孔融说"氏"字为"民无上"，不吉利，所以改姓为"是"。

圹先表圣①，灯候沈彬②。

【注释】

①圹先表圣：典出《旧唐书·文苑传下》。司空图（字表圣）在自己还活着的时候，就开始为自己挖墓，甚至带朋友到墓地里喝酒作诗。

②灯候沈彬：典出《江南野史》。唐末文人沈彬临终时告诉家人自己墓地的位置，家人根据指引，在挖墓地的时候挖出三盏石制莲花灯，另有一座铜碑，刻有"漆灯犹未灭，留待沈彬来"的字样。

十二　文

谢敷处士①，宋景贤君②。

【注释】

①谢敷处士：典出《晋书·隐逸传》。东晋时期，谢敷隐居十年不肯出山，后来当月亮运行到处士星时，占卜星象的人说这段时间隐士要有难。果然，不久之后，谢敷就去世了。

②宋景贤君：典出《淮南子·道应训》。宋景公时期，星象曾出现异常，占卜之人说灾难会降到国君的身上，但可以转移。宋景公拒绝了转移到宰相、民众、收成上，表现了一位明君的德行。第二天，星象再次变化，灾祸的征兆消失了。

景宗险韵①，刘辉奇文②。

【注释】

①景宗险韵：典出《南史·曹景宗传》。南朝时期，梁武帝宴请曹景宗，宴会上大家出题作诗，曹景宗作诗时，只剩下“竞”“病”二字，于是写下“去时儿女悲，归来笳鼓竞。借问行路人，何如霍去病”的诗句，得到梁武帝赞赏。

②刘辉奇文：典出《梦溪笔谈》。宋代文人刘辉文采很好，只是写文章时不喜欢用规范的词句，让当时的散文大家欧阳修非常不满。后来，刘辉应试赶考，恰逢欧阳修担任主考官，面对文风依旧的刘辉奇文，欧阳修大加批改使其落榜。过了几年，欧阳修出任殿试的考官，见刘辉仍来参加，便有意针对他，却误黜落了吴人萧稷。放榜后，欧阳修才知他所欣赏并擢为第一的是刘辉，欧阳修愕然。

袁安卧雪[1]，仁杰望云[2]。

【注释】

①袁安卧雪：典出《后汉书·袁安传》。袁安做官前家境贫寒，曾因大雪封路而困卧家中，幸得洛阳县令相救。当县令得知他宁愿冻死也不愿在雪天打扰他人时，便举荐他为“孝廉”。

②仁杰望云：典出《新唐书·狄仁杰传》。狄仁杰在并州做官时曾登上太行山，看到一片云便想起自己在河南生活的父母，心中认为父母必然也会在那片云下想着自己，于是观云思念双亲，直到云散了才离开。

貌疏宰相[1]，腹负将军[2]。

【注释】

①貌疏宰相：典出《湘山野录》。北宋大臣王钦因相貌丑陋、举止粗俗遭到钱希白的轻视。某位术士提醒钱希白，王钦必有成就，钱希白不信。不久之后，王钦就做了宰相。

②腹负将军：宋朝有个叫党进的大将，吃饭之后就拍着肚子，对肚子说：“我可没对不起你啊！”结果身旁的亲信接着说道：“是肚子对不起将军，您把它喂得这么饱，它却从来没给您点儿什么。”

梁亭窃灌[1]，曾圃误耘[2]。

【注释】

①梁亭窃灌：典出《新序·杂事》。梁、楚两国相邻，边境都种植瓜果，梁人勤于浇灌而楚人却疏于浇灌，所以梁国瓜好而楚国瓜差。楚人心生嫉妒破坏梁国的瓜，梁人欲施以报复，而当地县令命梁人私下为楚国瓜田灌溉，让两国瓜果都长得很好。楚人得知真相后非常羞愧，最后送重礼与梁人交好。

②曾圃误耘（yún）：典出《说苑·建本》。曾参是孔子的弟子，某次在家中为瓜除草时不小心锄断了瓜根，被盛怒的父亲打昏。次

日曾参向孔子求学，孔子也说曾参不对，而不对之处不在于将瓜根锄断，而在于犯错之后不善于处理与父亲之间的矛盾，如果任由父亲暴打，父亲失手将曾参打死，就陷父亲于不义了。

张巡军令[①]，陈琳檄文[②]。

【注释】

①张巡军令：典出《新唐书·忠义传》。张巡治军严格，部下雷万春曾在战场上被敌方令狐潮用弓箭射中脸而纹丝不动。后人感叹雷万春刚毅的同时，也感慨张巡军令如山。

②陈琳檄（xí）文：典出《典略》。陈琳将自己写好的檄文交给曹操审阅，原本曹操头疼只能躺着看，但看着看着就坐了起来，头也不再疼了，称是陈琳的文采医治了自己的头疾。

羊殖益上[①]，宁越弥勤[②]。

【注释】

①羊殖益上：典出《说苑·善说》。春秋时期，晋国正卿赵简子问成抟（tuán）羊殖为人如何，成抟说，尽管自己与他是朋友，但因为羊殖的人品总是不断地变得更好，而自己已经与他五年未见，已猜想不到其德行高尚到什么程度了。

②宁越弥勤：典出《吕氏春秋·不苟论》。战国时期，宁越认为耕田辛苦，于是为摆脱劳役勤学十五年，最终成了周威公的老师。

蔡邕倒屣[①]，卫瓘披云[②]。

【注释】

①蔡邕倒屣：典出《三国志·魏志·王粲传》。王粲拜访蔡邕时，蔡邕因为着急迎接，连鞋子都穿反了。

②卫瓘披云：典出《世说新语·赏誉》。西晋时期，卫瓘评价乐广是“人中水镜”，见到他能让人如同拨开云雾见青天。

巨山龟息[1]，遵彦龙文[2]。

【注释】

①巨山龟息：典出《唐遗史》。唐代李峤（字巨山）睡着后用耳朵呼吸，据传这是一种“龟息之相”，这样的人能长寿。

②遵彦龙文：典出《北齐书·杨愔传》。杨愔（字遵彦）十一岁便通读《诗经》《易经》，被他的堂兄杨昱赞为：“年幼便是名驹，日后必是千里马。”龙文，指骏马。

十三　元

傲睨昭谏[①]，茂异简言[②]。

【注释】

①傲睨（nì）昭谏：典出《十国春秋》。唐代诗人罗隐（字昭谏）生性傲慢，极少赞扬别人，却为宰相令狐绹之子考中进士一事题诗祝贺。这让令狐绹感觉到非常惊喜。

②茂异简言：典出《莲堂诗话》。宋代文人吴简言考中茂异科（官府对才华出众人士的一种选拔考试）之后，在巫山女神庙中题诗："惆怅巫娥事不平，当年一梦是虚成。只因宋玉闲唇吻，流尽巴江洗不清。"当晚即梦见神女道谢。

金书梦珏[①]，纱护卜藩[②]。

【注释】

①金书梦珏（jué）：典出《太平广记》。唐代大臣李珏梦见自己的名字题在仙洞之中，以为自己会成仙，没想到仙洞中的仙童告诉他这个"李珏"另有其人。最后一个叫李钰的粮商为人宽厚，最终成仙了。

②纱护卜藩：典出《太平广记》。唐代大臣李藩曾向葫芦生问卜，葫芦生告诉他，他的名字在阴间是用纱笼保护起来的，可以防止他的名字被妖物知晓后徒增伤害，确保他在宰相位置上坐得安稳。

童恢捕虎[①]，古冶持鼋[②]。

【注释】

①童恢捕虎：典出《后汉书·循吏列传》。东汉时期，县令童恢的辖区内有虎食人，童恢捕虎审虎，为民除害。

②古冶持鼋（yuán）：典出《晏子春秋》。春秋时期，齐景公渡河时所驾的马被一只大鼋拖进河中，勇士冶子立即拔剑跳入河中，斩杀大鼋，冶子被世人看作是河神的化身。

何奇韩信①，香化陈元②。

【注释】

①何奇韩信：典出《史记·萧相国世家》。萧何认为韩信是统军奇才，第一次向刘邦举荐时没有得到刘邦认可，韩信失望地离开了，结果萧何连夜追回韩信，以性命为保证举荐韩信。后来，韩信终于受到刘邦的重用。

②香化陈元：典出《后汉书·循吏列传》。东汉年间，名士仇览（别名仇香）为官时，教化乡中不孝子陈元，使陈元成为远近闻名的孝子。

徐干《中论》①，扬雄《法言》②。

【注释】

①徐干《中论》：典出《三国志·魏书》。东汉文学家徐干不喜欢华而不实的文章，因此作《中论》，受到时人的称赞。

②扬雄《法言》：典出《汉书·扬雄传》。西汉扬雄仿照《论语》的形式写《法言》一书，对儒家思想进行大力宣讲。

力称乌获①，勇尚孟贲②。

【注释】

①力称乌获：典出《吕氏春秋·孟春纪》。秦人乌获力大无穷，据说可以拉住牛尾巴把牛拉回来。

②勇尚孟贲（bēn）：典出《吕氏春秋·孝行览》。齐人孟贲力气也很大，据说能生生地把牛角拔下来。

八龙荀氏[①]，五豸唐门[②]。

【注释】

①八龙荀氏：典出《后汉书·荀淑传》。东汉时期，荀淑的八个儿子都非常有才华，后人将其与帝舜时期高阳氏的八个儿子联系在一起，赞称“八龙”，并把荀淑居住的西豪里改称“高阳里”。

②五豸（zhì）唐门：典出《小学绀（gàn）珠》。宋代同族的唐垧、唐肃、唐询、唐介、唐淑问相继担任御史，因而被后人称为“唐门五豸”。豸，古代传说中的一种能判是非区直的独角神兽，常用来喻指执法者。

张瞻炊臼[①]，庄周鼓盆[②]。

【注释】

①张瞻炊臼：典出《酉阳杂俎》。唐代商人张瞻在梦中见到自己用臼做饭，在询问当时著名的卜者王生后，得知自己的夫人可能有难。果然，他回到家时，妻子过世数月了。

②庄周鼓盆：典出《庄子·至乐》。庄子看透了生死，甚至妻子死后也不悲伤，反而敲打着盆锅歌唱。

疏脱士简[①]，博奥文元[②]。

【注释】

①疏脱士简：典出《梁书·张率传》。南朝时期，文人张率（字士简）生性豁达，命仆人运送粮食回家，到家时只剩一半，仆人说被麻雀和老鼠吃掉了，张率明知仆人说谎，但毫不在乎。

②博奥文元：典出《朝野佥载》。唐代文人萧颖士（谥号文元）性情暴躁，总因为小事责打仆从，而仆从却因为仰慕其才学，无论如何也不肯另投他人。

敏修未娶[①]，陈峤初婚[②]。

【注释】

①敏修未娶：典出《尧山堂外纪》。南宋时期，七十三岁的陈敏

修考中进士，当宋高宗知其尚未娶妻后，将一名三十岁的宫女嫁给了他。

②陈峤初婚：典出《南部新书》。陈峤六十岁才中进士，与儒士的女儿成婚，大婚当晚作诗自嘲："彭祖尚闻年八百，陈郎犹是小孩儿。"

长公思过[1]，定国平冤[2]。

【注释】

①长公思过：典出《汉书·韩延寿传》。韩延寿（字长公）做官时遇到乡间兄弟二人为争田产告状的案子，认为是自己没有做好教化推广，于是闭门思过。

②定国平冤：典出《汉书·于定国传》。西汉于定国以断案谨慎准确而闻名，世人称被他定罪的人都不会喊冤。

陈遵投辖[1]，魏勃扫门[2]。

【注释】

①陈遵投辖：典出《汉书·陈遵传》。西汉时期，陈遵每次请朋友到家中喝酒，都会暗中把对方马车上的车辖扔到井里，让对方有事也无法离开，免扫酒兴。

②魏勃扫门：典出《史记·齐悼惠王世家》。魏勃年少时为了见到曹参，每日都到曹参家门口为他扫地，最终经引荐成为曹参门客。

孙琏织屦[1]，阮咸曝裈[2]。

【注释】

①孙琏（liǎn）织屦（jù）：典出《广事类赋》。宋代人孙琏读书而不考取功名，以织屦种田作为生活来源，活到一百岁。

②阮咸曝裈（kūn）：典出《晋书·阮咸传》。按照民俗，农历七月七日，家家户户都要晒衣服，阮咸家贫，于是挂了一条短裤晾晒。

晦堂无隐[①]，沩山不言[②]。

【注释】

①晦堂无隐：典出《鹤林玉露》。高僧晦堂用桂花香气无从隐藏之事为黄庭坚诠释孔子所说“吾无隐乎尔”的道理。

②沩（wéi）山不言：典出《紫柏老人集》。沩山灵祐禅师问香岩禅师：知道父母还没有生你之前，自己的样子吗？沩山禅师不再进一步解释，香岩不知其意，于是起身告辞。直到有一天，香岩割草时扔出一块瓦片击打竹子，竹子发出声音，才突然顿悟。

十四　寒

庄生蝴蝶[1]，吕祖邯郸[2]。

【注释】

①庄生蝴蝶：典出《庄子·齐物论》。庄子梦见自己变成了蝴蝶，醒来后发现自己仍没有改变，一时弄不清到底是自己变成了蝴蝶，还是蝴蝶变成了自己。

②吕祖邯郸：典出《枕中记》。吕祖（吕洞宾）在邯郸遇到一位想要求取功名的卢姓书生，便给了他一个枕头。在梦中，卢生梦见自己考中进士，有了一段长达五十年富贵通达的人生，醒来后发现黄粱饭还没熟，认为富贵如梦，尔后随吕祖修行。此典故又称“黄粱一梦”。

谢安折屐[1]，贡禹弹冠[2]。

【注释】

①谢安折屐：典出《晋书·谢安传》。东晋时，谢安因为听说自己的侄子谢玄在前线打了胜仗，欣喜若狂，甚至在门槛处摔了一跤，把木鞋的齿都折断了。

②贡禹弹冠：典出《汉书·王贡两龚鲍传》。西汉时期，王吉与贡禹十分要好，且拥有相同的志向，只要王吉做了官，贡禹就可以弹掉帽子上的尘土，准备做官了。

颛容王导[1]，浚杀曲端[2]。

【注释】

①颛（yǐ）容王导：典出《世说新语·尤悔》。东晋时期，王敦举起反旗后，他的堂弟王导便在宫门外谢罪，周颛表面上对王导冷漠实则暗地里为其求情。后来，得势的王敦询问周颛如何，王导没

有回答，王敦于是杀了周顗。知道事情真相后，王导后悔不已。

②浚（jùn）杀曲端：典出《齐东野语·曲壮闵本末》。南宋时期，张浚因为与武将曲端不和而将其流放，最终又因为听信他人诬陷而将曲端毒杀。

休那题碣①，叔邵凭棺②。

【注释】

①休那（nuó）题碣：明末文士姚康（字休那）不愿在清朝做官，因此一直隐居，七十岁时他在自己的墓碑上题字："吊有青蝇，几见礼成徐孺子。赋无白凤，免得书称莽大夫。"

②叔邵凭棺：典出《桐城县志》。明代人方舒邵在临终前就穿戴整齐躺进棺木，并在棺中写下告别诗。

如龙诸葛①，似鬼曹瞒②。

【注释】

①如龙诸葛：典出《三国志·蜀书》。三国时，诸葛亮号"卧龙"，故称"如龙诸葛"。

②似鬼曹瞒：典出《苏东坡集·孔北海赞》。苏轼评价曹操（小名阿瞒）时，称其是鬼一样的人物。

爽欣御李①，白愿识韩②。

【注释】

①爽欣御李：典出《后汉书·党锢列传》。东汉时期，大臣李膺非常不喜欢与人交往，所以能与李膺相交被看作一种荣耀。名士荀爽因拜访李膺时能为他驾车而感到骄傲。

②白愿识韩：典出《李太白集·与韩荆州书》。唐玄宗时期，世人都以能见韩朝宗为傲，李白也曾写信给他自荐。韩会，字朝宗，韩愈之兄，为荆州刺史。

黔娄布被①，优孟衣冠②。

【注释】

①黔娄布被：典出《烈女传·贤明传》。战国时期，鲁国的隐士黔娄生活非常贫穷，死后连一床能够遮盖住全身的被子都没有。

②优孟衣冠：典出《史记·滑稽列传》。春秋时期，楚相孙叔敖死后，他的儿子们生活穷困，于是优孟模仿孙叔敖的言行，穿着孙叔敖生前的衣服去见楚王，说做楚国宰相连自己的儿子都不能温饱，生不如死。楚王了解实情后，赐予孙叔敖子嗣封地。

长歌宁戚①，鼾睡陈抟②。

【注释】

①长歌宁戚：典出《汉书》卷五十一应劭集解。春秋时期，齐桓公路遇一人唱："南山矸，白石烂，生不遭尧与舜禅。短布单衣适至骭，从昏饭牛薄夜半，长夜漫漫何时旦？"于是任用此人为宰相。此人正是宁戚。

②鼾睡陈抟（tuán）：典出《东都事略·隐逸传》。相传五代时期，隐士陈抟一觉能睡一百多天。

曾参务益①，庞德遗安②。

【注释】

①曾参务益：典出《说苑·敬慎》。曾参在病重时告诉子嗣，为人必须追求进益，不能急功近利。

②庞德遗安：典出《高士传》。庞德公不做官，称别人做官留给子孙危险，自己远离朝野留给子孙安全。

穆亲杵臼①，商化芝兰②。

【注释】

①穆亲杵臼：典出《后汉书·吴祐传》。东汉时期，公沙穆因贫穷，受雇于吴祐负责捣米，之后通过交谈二人相熟成为好友。后人以"杵臼之交"比喻交朋友不在乎贫富和地位高低。

②商化芝兰：典出《孔子家语·六本》。孔子赞扬卜商（子夏）喜欢接触比自己优秀的人，就像进入一间放满芝兰的房间，时间长后闻不到香气，是因为自己变得和芝兰一样香。

葛洪负笈[1]，高凤持竿[2]。

【注释】

①葛洪负笈：典出《抱朴子外篇·自叙》。东晋人葛洪家中的藏书被炼丹引起的火灾烧毁，他不得不背着书箱到处借书抄写。

②高凤持竿：典出《后汉书·逸民列传》。东汉年间，高凤在家看守麦子，一边拿着竹竿赶鸡，一边看书，虽然麦子没有被鸡吃掉，但突然到来的大雨把麦子冲走了，他还浑然不知。

释之结袜[1]，子夏更冠[2]。

【注释】

①释之结袜：典出《史记·张释之冯唐传》。西汉人王生年迈时非常看重张释之，故意让张释之为自己系袜带，实则是为了帮张释之赢得德行高尚的名声。

②子夏更冠：典出《汉书·杜周传附杜钦传》。西汉人杜钦与同时代的杜邺的字都是“子夏”，为了相互区别，杜钦经常戴一顶小帽子，而杜邺戴一顶大帽子，于是人们称杜钦为“小冠杜子夏”，称杜邺为“大冠杜子夏”。

直言唐介[1]，雅量刘宽[2]。

【注释】

①直言唐介：典出《宋史·唐介传》。北宋人唐介性情直爽，为官时刚直敢言，故有“直言”美名。

②雅量刘宽：典出《后汉书·刘宽传》。东汉时期，刘宽性格仁厚，肚量洪大，某次一个婢女将肉汤洒在他的衣服上，他不但不生气，还反问婢女有没有烫伤。

捋须何点[①]，捉鼻谢安[②]。

【注释】

①捋须何点：典出《南史·何尚之传附何点传》。南朝梁武帝欣赏何点的才能，想让他做官。何点不从，于是故意捋梁武帝胡须，表示只愿与梁武帝做朋友，让其打消这个念头。

②捉鼻谢安：典出《世说新语》。东晋时期，谢安做官前曾过着隐居的生活，他的弟弟谢万身居要职。谢安的妻子看到总有人拜访谢万，问谢安说："大丈夫不该这样吗？"谢安捂着鼻子说道："就怕免不了这样。"后来，谢安入朝为官，依然憧憬以前隐居时的生活。

张华龙鲊[①]，闵贡猪肝[②]。

【注释】

①张华龙鲊（zhǎ）：典出《晋书·张华传》。陆机送给张华一罐鲊（腌制的鱼肉），张华却说这是龙肉，因为浇上苦酒后，肉会发出五色光芒。

②闵贡猪肝：典出《后汉书·周黄徐姜申屠列传序》。东汉时期，闵贡因家贫，每天吃一片猪肝做荤食。安邑县令非常赏识闵贡，听到这个消息后令人每天给闵贡送猪肝。闵贡认为自己给安邑增添了负担，于是悄悄地搬走了。

渊材五恨[①]，郭奕三叹[②]。

【注释】

①渊材五恨：典出《冷斋夜话》。北宋彭渊材平生有五大"恨"：一恨鲥鱼骨头太多，二恨金橘甜中带酸，三恨莼菜好吃却因性寒而不能多吃，四恨海棠花好却没有多少香气，五恨曾巩能文却不能创作诗歌。

②郭奕三叹：典出《世说新语·赏誉》。西晋时期，郭奕曾三次

感叹名士羊祜，第一次感叹其不比自己差，第二次感叹其比自己优秀，后来他因礼送羊祜送出了县境而丢官，但他不仅不为此感到惋惜，反而第三次感叹羊祜不次于颜回。汉代地方官员无故离开辖区要被免职，晋时仍承其制。

弘景作相[1]，延祖弃官[2]。

【注释】

①弘景作相：典出《南史·隐逸传下》。陶弘景虽然不担任任何官职，但皇帝每有大事必来山中询问他，因此被人称为“山中宰相”。

②延祖弃官：典出《唐语林》。唐人元延祖多次弃官回家，只希望生活中没有饥寒即可，并不希求太多。

二疏供帐[1]，四皓衣冠[2]。

【注释】

①二疏供帐：典出《汉书·疏广传》。西汉时期，疏广和疏受叔侄同殿为臣，分别当上太子太傅和太子少傅，五年后又同时上书请辞。

②四皓衣冠：典出《史记·留侯世家》。刘邦想要废掉太子刘盈，吕后按照张良的计策，请来东园公、甪里先生、绮里季、夏黄公四人（人称“商山四皓”），使得刘邦认为刘盈有贤能辅助，于是打消了废太子的念头。

曼卿豪饮[1]，廉颇雄餐[2]。

【注释】

①曼卿豪饮：典出《宋史·文苑传四》。北宋时期，石延年（字曼卿）酒量很好，曾在与刘潜对饮的时候，喝到半夜，直到把酒喝光，然后又把一斗多的醋当成酒喝。

②廉颇雄餐：典出《史记·廉颇蔺相如列传》。廉颇年迈之时，

为了向使者表示自己还能打仗，一顿饭吃一斗米，十斤肉，并穿上盔甲骑马显示勃发的英姿。

长康三绝①，元方二难②。

【注释】

①长康三绝：典出《晋书·顾恺之传》。世人称顾恺之（字长康）有三绝：才绝、画绝、痴绝。

②元方二难：典出《世说新语》。东汉时期，陈寔有两个儿子——长子陈纪（字元方）、次子陈谌（字季方），二子在才能德行上都颇有声名，当别人问起谁更好一些时，陈寔总是因二人不分伯仲而陷入两难。

曾辞温饱①，城忍饥寒②。

【注释】

①曾辞温饱：典出《东轩笔录》。王曾中状元后，有人与他玩笑，说他当了状元之后就可以不愁吃穿了，王曾义正词严地说自己努力读书不仅仅是为了解决温饱问题。

②城忍饥寒：典出《太平广记》。唐代隐士阳城家中贫困，与三弟弟相依为命。他们出门时换着衣服穿，遇到饥荒年景还要以树皮熬粥果腹。

买臣怀绶①，逢萌挂冠②。

【注释】

①买臣怀绶（shòu）：典出《汉书·朱买臣传》。朱买臣被汉武帝任命为太守后，故意穿着破旧的衣服到任，视察真实民情之后才拿出怀中揣着的印绶。

②逢萌挂冠：典出《后汉书·逸民列传》。逢萌到长安想找做官的机会，恰好遇到王莽杀儿子王宇，认为在纲常败坏的国家中做官没有意义，于是把帽子挂在东都门上，带着家人逃走了。

循良伏湛[1]，儒雅儿宽[2]。

【注释】

①循良伏湛：典出《后汉书·伏湛传》。伏湛任太守时正赶上天下大乱，他就把自己的俸禄拿出来赈济灾民。

②儒雅儿宽：典出《汉书·儿宽传》。西汉时期，儿宽因为对《尚书》颇有研究，获得了儒雅的美名。

欧母画荻[1]，柳母和丸[2]。

【注释】

①欧母画荻（dí）：典出《东都事略·欧阳修传》。欧阳修幼时家贫，为了教他认字，他的母亲用荻在地上写字。

②柳母和（huó）丸：典出《家范》。唐朝时，柳仲郢的母亲用黄连、苦参、熊胆研粉和成药丸，让柳仲郢在夜晚读书困倦时含一颗提神。

韩屏题叶[1]，燕姞梦兰[2]。

【注释】

①韩屏题叶：典出《流红记》。唐代宫女韩翠屏在红叶上题诗，然后将红叶放到宫内的水流中任其漂流，恰好被学士于祐在宫外捡到，于是他在红叶背后题诗，又让红叶随风吹回宫内，回到韩翠屏手中。后来，韩翠屏出宫，嫁给于祐，可谓奇缘。

②燕姞（jí）梦兰：典出《左传·宣公三年》。春秋时期，燕姞是郑文公的小妾，她有一天梦见天神送给她兰草说是她的儿子，她怀孕后生下的孩子起名为“兰”，即后来的郑穆公。

漂母进食[1]，浣妇分餐[2]。

【注释】

①漂母进食：典出《史记·淮阴侯列传》。韩信年少时贫困，在河边钓鱼时遇到一位漂洗衣服的老妇人，老妇人把每天洗衣服换来的食物分给他吃。

②浣妇分餐：典出《吴越春秋·王僚使公子光传》。春秋时期，伍子胥逃奔吴国途中曾向水边浣纱的一个女子乞食，吃完后叮嘱女子千万别泄漏自己的行踪，没想到伍子胥还未走远，女子就投水自尽了。

十五　删

令威华表[①]，杜宇西山[②]。

【注释】

①令威华表：典出《搜神后记》。传说汉代仙人丁令威在成仙后变成一只仙鹤回到家乡，立于华表柱之上喊："有鸟有鸟丁令威，去家千年今始归。城郭如故人民非，何不学仙冢累累。"

②杜宇西山：典出《华阳国志·蜀志》。杜宇统治时期，蜀地突发洪水，他和百姓一起躲到了山上，后出现一位名叫鳖灵的人治水成功，杜宇认为他比自己对百姓的功绩更大，于是将君位让与他，自己住进西山。

范增举玦[①]，羊祜探环[②]。

【注释】

①范增举玦（jué）：典出《史记·项羽本纪》。鸿门宴中，范增多次举起自己的玉玦示意项羽下决心杀死刘邦，而优柔寡断项羽不肯遵从。

②羊祜（hù）探环：典出《晋书·羊祜传》。羊祜五岁时，命自己的乳母从李家花园的一个树洞里取出一枚金环，而这枚金环恰好是李氏子嗣生前所丢。所以，几乎所有人都认为羊祜是李氏子嗣转世投胎的人。

沈昭狂瘦[①]，冯道痴顽[②]。

【注释】

①沈昭狂瘦：典出《南齐书·沈昭略传》。南朝时期，沈昭说王约又胖又傻，王约则说沈昭又瘦又狂。沈昭定义瘦狂者必优于胖傻之人。

②冯道痴顽：典出《新五代史·冯道传》。契丹灭后晋，冯道朝见契丹皇帝耶律德光，说自己又老又傻、无德无能，却获得赏识而任太傅。

陈蕃下榻[①]，郅恽拒关[②]。

【注释】

①陈蕃下榻：典出《后汉书·徐稚传》。陈蕃极少与人交好，独独青睐徐稚一人。陈蕃为招待徐稚特意做了一个榻，待徐稚走后就把榻收起，不给他人同等的待遇。

②郅恽（yùn）拒关：典出《后汉书·郅恽传》。郅恽做守门官的时候，有一天，恰逢光武帝打猎晚归，此时城门已关，郅恽拒不开门，迫使光武帝只能从别的门进城。

雪夜擒蔡[①]，灯夕平蛮[②]。

【注释】

①雪夜擒蔡：典出《旧唐书·李愬（sù）传》。李愬雪夜突袭蔡州，擒获反贼吴无济。

②灯夕平蛮：典出《梦溪笔谈》。宋代大将狄青趁上元节犒赏全军，酒宴中途亲率士兵奇袭昆仑关，在敌军毫无防范的情况下，一举夺关，一夕之间便战胜了蛮狄。

郭家金穴[①]，邓氏铜山[②]。

【注释】

①郭家金穴：典出《后汉书·皇后纪》。据说光武帝先后赏赐国舅郭况的黄金有数亿，因此郭家也被时人称作“金穴”。

②邓氏铜山：典出《汉书·佞幸列传》。西汉文帝时期，由于相士说文帝宠臣邓通会饿死，于是文帝将铜山赐给邓通用来铸钱，一时有“邓氏铜山”一说。景帝即位后，邓通的家财被尽数抄没，寄居别人家的邓通最终冻饿而死。

比干受策[①]，杨宝掌环[②]。

【注释】

①比干受策：典出《册府元龟》。西汉时期，何比干把仁厚爱民作为自己做官的宗旨，因此有一妇人赠他九十九枚策书，称其子孙做官的人也会有很多。

②杨宝掌环：典出《后汉书·杨震传》。东汉人杨宝曾救助过一只黄雀，后来黄雀化身黄衣童子感谢他，并赠他四枚玉环。

晏婴能俭[①]，苏轼为悭[②]。

【注释】

①晏婴能俭：典出《史记·管晏列传》。春秋时期，身为齐国宰相的晏婴，生活却如百姓般俭朴，人们说他俭朴得过分，甚至到了丑陋的地步。

②苏轼为悭：典出《苏轼文集·与李功择书》。苏轼给李功择的信中，说自己到了五十岁才知道生活应当节俭。

堂开洛水[①]，社结香山[②]。

【注释】

①堂开洛水：典出《容斋随笔》。北宋时期，受大臣文彦博的召集，司马光、富弼等老臣在洛阳举办耆（qí）英会，并建起耆英堂。

②社结香山：典出《新唐书·白居易传》。白居易晚年居住在洛阳，与香山社的其他成员如刘真、张浑等九人一起写诗作文，并留下了传世名画《香山九老图》。

腊花齐放[①]，春桂同攀[②]。

【注释】

①腊花齐放：典出《唐诗纪事》。武则天当政时的一年腊月，朝中有官员称御花园中开满了花朵，要请武则天前去赏花，武则天怀疑这是大臣的阴谋，便下诏令花园百花齐放，结果第二天园

中当真开满鲜花。妄图发动政变的大臣认为是天意，故而放弃了政变。

②春桂同攀：典出《耳谈》。明朝时期，蒋南金与王大用结伴游玩时各折了一枝桂花，后来听孩童唱歌谣：“一布政、一知府，掇高魁，花到手。”最后两人都高中进士，一个官拜布政使，一个官拜知府。

卷 三

一 先

飞凫叶令[①]，驾鹤缑仙[②]。

【注释】

①飞凫（fú）叶令：典出《后汉书·方术列传》。东汉时期叶县（今属河南）县令王乔每次朝见皇上都不骑马，也不坐车。皇上因此感觉很奇怪，于是派人暗中查访，发现在王乔到来之前有两只野鸭子飞来，用网把它们捕住后，这两只野鸭子就变成了两只鞋子，而这两只鞋子正是皇帝赐给王乔的。

②驾鹤缑（gōu）仙：典出《列仙传》。周灵王时，太子在游玩途中偶遇一位道士，被其带入嵩山修道。三十年之后，太子对一个名叫桓良的人说："你快去告诉我的家人，七月七日到缑氏山（今河南偃师境内）顶等着我。"到了那一天，太子果真乘鹤停在山顶，但是人们都只能远观而不能靠近。

刘晨采药[①]，茂叔观莲[②]。

【注释】

①刘晨采药：典出《太平御览》。东汉人刘晨与阮肇在天台山采药时遇到两位仙女。仙女将他们带回家，并分别与他们结为夫妇。半年之后，刘晨、阮肇与两位仙女辞别后回家，才知人世间已经过了十代。

②茂叔观莲：典出《爱莲说》。北宋诗人周敦颐（字茂叔）十分喜欢莲花，并认为莲花可以称得上是"花中君子"，于是赞莲花"出淤泥而不染，濯清涟而不妖"。

阳公麾日①，武乙射天②。

【注释】

①阳公麾日：典出《淮南子·览冥训》。相传周武王的部下鲁阳公曾与韩构大战，结果一直战到天黑都难分胜负。于是，鲁阳公挥戈阻止夕阳西下，逼太阳倒退九十里（古代行军一舍为三十里，九十里即为“三舍”）。

②武乙射天：典出《史记·殷本纪》。传说商朝国君武乙做了一个盛满血的皮囊当靶子，然后仰面拉弓射向皮囊，称为“射天”。

唐宗三鉴①，刘宠一钱②。

【注释】

①唐宗三鉴：典出《新唐书·魏徵传》。魏徵去世之后，唐太宗伤心地对群臣说：“用铜做镜子，能够端正自己的衣冠；用历史做镜子，可以知道朝代的兴亡；用人做镜子，可以知道自己的得失。我曾经拥有三面这样的镜子，现在魏徵去世了，我就少了一面镜子。”

②刘宠一钱：典出《后汉书·循吏列传》。刘宠是东汉时期的一个地方官，且为政清廉。在他离任之时，有几个老者每人带着一百钱再三坚持要送给他。刘宠不忍拂了百姓的好意，就从每个人的手中拿了一枚。因此，刘宠被称为“一钱太守”。

叔武守国①，李牧备边②。

【注释】

①叔武守国：典出《左传·僖公二十八年》。春秋时期，晋国攻打卫国，吓得卫成公四处奔逃，卫国公子叔武临时出来主政。后来，晋国同意卫成公归国继续主持国政。公子颛犬与华仲为其前驱，杀了叔武。卫成公归国后枕在叔武遗体上哭泣，处死颛犬，以安抚居守一派。

②李牧备边：典出《史记·廉颇蔺相如列传》。战国时期赵国

著名将领李牧常年戍守在赵国边境，遏制匈奴人的进攻长达十几年。

少翁致鬼①，栾大求仙②。

【注释】

①少翁致鬼：典出《史记·封禅书》。西汉武帝曾非常思念去世的王夫人。为了满足汉武帝的心愿，术士少翁在夜间作法，果然让王夫人的影像出现在帷幕上。

②栾大求仙：典出《史记·封禅书》。西汉术士栾大宣称自己曾经在海上仙山见过能制造黄金、研制长生不老药的神仙。汉武帝听了非常高兴，于是派他去寻找仙人。

彧臣曹操①，猛相苻坚②。

【注释】

①彧（yù）臣曹操：典出《三国志·魏书》。东汉末年，荀彧向往曹操的才能而前去投奔，被曹操视作如同张良一般的谋臣，军中大小事务都与之商议。

②猛相苻坚：典出《晋书·苻坚载记下附王猛传》。王猛受人推荐，当上了前秦君王苻坚殿前的大臣，被苻坚看作是诸葛亮那样的人才。不久，苻坚就任命王猛为宰相。

汉家三杰①，晋室七贤②。

【注释】

①汉家三杰：典出《史记·高祖本纪》。汉高祖在打败项羽之后，对自己胜利的原因进行了总结："我有张良为我出谋划策，有萧何帮我安抚百姓，有韩信帮我带兵打仗，这三位人杰都能受我的重用，这就是我取得胜利的原因。"

②晋室七贤：典出《魏氏春秋》。魏晋时期，嵇康、阮籍、山涛、向秀、阮咸、王戎、刘伶等七人的交情甚好，他们经常偕同出游，被世人称为"七贤"。

居易识字①，童乌预《玄》②。

【注释】

①居易识字：典出《与元九书》。唐代著名诗人白居易刚刚六七个月大的时候，虽然还不会说话，但已经认识“之”“无”两个字了。

②童乌预玄：典出《法言·问神》。西汉学者扬雄之子童乌，在九岁那年就已经就能对父亲所著《太玄》一书中的观点进行讨论了。

黄琬对日①，秦宓论天②。

【注释】

①黄琬（wǎn）对日：典出《后汉书·黄琼传附黄琬传》。东汉人黄琼在任魏郡太守时发生了日食奇观，在魏郡能够清晰地看到，但在京师却无法看到。朝廷要求黄琼报告日食的变化进度，让黄琼十分为难，这时他七岁的孙子黄琬说：“为什么不说日食剩下的部分如同新月一般呢？”

②秦宓（mì）论天：典出《三国志·蜀书》。诸葛亮设宴款待吴国使者张温，结果学者秦宓因故迟到，张温因此想要为难他，就问了很多与“天”有关的问题。秦宓每次都是闻声即答，没有丝毫迟疑，让张温十分佩服。

元龙湖海①，司马山川②。

【注释】

①元龙湖海：典出《三国志·魏书》。东汉人许汜（sì）在评论陈登（字元龙）时用“湖海之士，豪气不除”来概括，并列举了自己第一次与陈登相见时，占据大床的陈登只给自己安排小床的例子为证。

②司马山川：典出《史记·太史公自序》。西汉史学家司马迁到处游历，访遍山川五湖，只为收集资料，撰写《史记》。

操诛吕布①，膑杀庞涓②。

【注释】

①操诛吕布：典出《三国志·魏书》。东汉时期吕布戍守下邳（pī），曹操久攻不下。后来，曹操采用了谋士的计策将吕布活捉，后将其杀害。

②膑杀庞涓：典出《史记·孙子吴起列传》。战国时期，军事家孙膑因魏国将领庞涓的迫害，逃亡齐国。在庞涓率兵攻打赵国而齐国"围魏救赵"之后，孙膑设计逼死庞涓。

羽救巨鹿①，准策澶渊②。

【注释】

①羽救巨鹿：典出《史记·项羽本纪》。秦朝末期，秦国在巨鹿（今河北邢台平乡县）围攻赵王军队。项羽率军渡过黄河，在与秦军激战之后大获全胜，解了巨鹿之围。

②准策澶（chán）渊：典出《涑水纪闻》。宋真宗时，辽军侵犯北宋边境，在大臣寇准的要求下，宋真宗亲征。到澶州（今河南濮阳）之后，宋军军心大振，射杀了辽国大将，迫使辽国军队停下了前进的脚步，双方订立"澶渊之盟"。

应融丸药①，阎敞还钱②。

【注释】

①应融丸药：典出《风俗通义·穷通》。东汉人祝恬在回京的途中得了病，县令应融亲自接他到驿站，并为他研制药丸，直到他康复。

②阎敞还钱：典出《汝南先贤传》，东汉时期，太守第五尝（复姓"第五"）离任的时候，将所积攒的全部俸禄都寄放在阎敞那里。第五尝去世之后，他九岁的孙子到阎敞处索要钱财，阎敞将所有的钱都原封不动地给了他。

范居让水①，吴饮贪泉②。

【注释】

①范居让水：典出《南史·胡谐之传附范柏年传》。南朝宋明帝在谈到广州“贪泉”的时候，问大臣范柏年的家乡有没有这样的泉水，范柏年说他的故乡只有文川、廉泉、让水等，而他住在廉、让之间。宋明帝听了十分高兴。

②吴饮贪泉：典出《世说新语·德行》。东晋官员吴隐之到广州上任时，路过“贪泉”，不信喝了此水会变得贪得无厌，于是喝了一口，并且作诗道：“古人云此水，一歃怀千金。试使夷齐饮，终当不易心。”此后他做官果真两袖清风，非常清廉。

薛逢羸马①，刘胜寒蝉②。

【注释】

①薛逢羸（léi）马：典出《唐摭言》。唐朝官员薛逢在晚年上朝时经常骑着一匹瘦马，有一次恰巧遇到新科进士出游，薛逢遭到前导官员的驱赶，薛逢说：“你不要以貌取人，我年轻的时候也中过进士。”

②刘胜寒蝉：典出《后汉书·党锢列传》。东汉名臣杜密告老回乡之后，经常向地方官推荐可用之人。与杜密地位相近的刘胜，却从不干预地方用人。地方官员本想委婉地劝说杜密向刘胜学习，杜密却说：“刘胜不推荐优秀的人才，也不评论不好的事情，其实只为了保全自身，将自己变得如寒蝉一般不敢讲话，他是罪人啊。”

捉刀曹操①，拂矢贾坚②。

【注释】

①捉刀曹操：典出《世说新语·容止》。曹操让崔琰代替自己去接见匈奴使者，自己则在崔琰身边提着刀充当侍卫。在接见之后，曹操派人向使者探问：“你怎么看待魏王？”使者说：“魏王仪表堂堂，但他身边的那个提刀护卫，才算得上真正的英雄啊！”捉

刀，本意指提刀的护卫，后来喻指代替别人作文或做事的人。

②拂矢贾坚：典出《燕书》。十六国时期，前燕皇帝在距离贾坚百步的地方放了一头牛，让贾坚对着牛射箭。第一箭贴着牛背飞过去，第二箭贴着牛肚子飞过去，瞬间牛毛飘落。围观的人问能射中吗？贾坚说：“了不起就在于射不中，射中了还有什么难的呢？”

晦肯负国[1]，质愿亲贤[2]。

【注释】

①晦肯负国：典出《旧唐书·徐晦传》。唐代官员徐晦与杨凭的关系很好，在杨凭被贬赴职的时候，只有徐晦为其送行。不久，大臣李夷简推荐徐晦担任御史，徐晦问他：“我与你的交情素浅，你为什么举荐我呢？”李夷简回答：“你能不辜负你与杨凭之间的友情，难道还会做出对不起国家的事情吗？”

②质愿亲贤：典出《宋史·王佑传附王质》。北宋大臣范仲淹遭贬出京的时候，朝中大臣除了王质没有一人敢去送行。一些大臣责备王质说：“你是把自己归到范仲淹一党中去了吗？”王质说：“像范仲淹这样的贤人，能够与他一党，是多么幸运的一件事啊！”

罗友逢鬼[1]，潘谷称仙[2]。

【注释】

①罗友逢鬼：典出《晋阳秋》。东晋名将桓温召集属僚给将要出任太守的好朋友送行，结果罗友来迟了。桓温问迟来的原因，罗友说自己在途中碰到一只鬼取笑自己，还说“只见你送别人做太守，不见别人送你做太守”。于是，在桓温的推荐下，罗友很快就出任襄阳太守一职。

②潘谷称仙：典出《春渚纪闻》。北宋文学家苏轼曾专门写诗称赞制墨名家潘谷的技艺高超：“一朝入海寻李白，空看人间画墨仙。”因此，后人将潘谷称为“墨仙”。

茂弘练服①，子敬青毡②。

【注释】

①茂弘练（shū）服：典出《晋书·王导传》。在几经战乱后，东晋王朝的国库中只剩下了几千匹练布（一种织得十分稀疏的布），价格低廉且卖不出去。于是，在大臣王导（字茂弘）的倡导下，朝中百官每人做了一件练布单衣，引起时人的效仿，练布的价钱随之疯狂上涨。

②子敬青毡（zhān）：典出《语林》。东晋书法家王献之（字子敬）的家里曾遭贼光顾，虽然察觉，但王献之依旧躺在床上不说话。等到贼去拿青毡的时候，王献之才说："这是我家的旧物，就请手下留情吧！"

王奇雁字①，韩浦鸾笺②。

【注释】

①王奇雁字：典出《舆地纪胜》。宋代人王奇在县衙做小吏的时候，县令题雁字诗，王奇亦用雁字诗作答。

②韩浦鸾笺：典出杨文公《谈苑》。宋朝时，韩浦与弟弟韩洎（jì）都在写文章上有所成就，但是韩洎对哥哥很是瞧不起，并说："我的哥哥写文章就好像盖草屋，只能够遮风避雨；我写文章好比造五凤楼。"韩浦听说之后，就将别人送给他的笺纸寄给弟弟，并且言明是要帮着弟弟修筑五凤楼。

安之画地①，德裕筹边②。

【注释】

①安之画地：典出《开天传信记》。唐玄宗到五凤楼上与百姓同乐，导致现场一片混乱。官员严安之用手在地上画线告诫"越线者死"。结果，百姓们连续三天都指着线相互告诫，没有一个敢越线的。

②德裕筹边：典出《新唐书·李德裕传》。唐朝大臣李德裕在

担任西川节度使期间，曾在成都府西侧筹建筹边楼，并把通向南方少数民族与吐蕃地区的地图画在楼上，只要是山川险要之地，都清楚地标示出来。

平原十日[1]，苏章二天[2]。

【注释】

①平原十日：典出《史记·范雎蔡泽列传》。战国时期，秦相范雎的仇人魏齐在赵国公子平原君的府中做门客，秦王于是写信给平原君，以听说平原君品德高尚为借口邀平原君到秦国。秦王款待平原君数日之后，就向他索要魏齐。魏齐被迫逃回魏国，最后又不得不自杀。

②苏章二天：典出《后汉书·苏章传》。东汉人苏章在担任刺史期间，恰巧有一位做太守的朋友犯了法。看在多年友谊的分上，苏章请太守朋友吃饭，太守自以为可以免罪，高兴地说："人都只有一个天，我却有两个。"苏章说："今天是苏章和老朋友喝酒，是我们之间的私谊；明天是刺史办案，是公。"第二天，他果真按照律法判了这个太守的罪。

徐勉风月[1]，弃疾云烟[2]。

【注释】

①徐勉风月：典出《梁书·徐勉传》。南朝梁重臣徐勉当上吏部尚书后，曾经和门客一起饮酒，有一个门客想要借此机会求官，却被告知只许谈风月，不能谈公事。

②弃疾云烟：南宋词人辛弃疾做官后，曾用一首《西江月》表达自己的想法："万事云烟忽过，一身蒲柳先衰。"云烟，现喻指容易消失的事物。

舜钦斗酒[1]，法主蒲鞯[2]。

【注释】

①舜钦斗酒：典出《中吴纪闻》。一天晚上，北宋诗人苏舜钦

在读《汉书》中张良刺杀秦始皇时，拍着桌子叫“可惜没有打中”，于是喝了一杯酒，再读到张良与刘邦相识时，又拍着桌子说：“君臣相遇就是难啊！”说完又喝了一大杯酒。这一切都被他的岳父看个正着，他岳父笑着说：“有《汉书》这样好的书佐酒，喝再多也不多啊！”

②法主蒲韀（jiān）：典出《旧唐书·李密传》。隋末瓦岗军首领李密年轻时有一次骑着黄牛出行，他在牛背上铺着一张蒲草垫子，在牛角上挂着《汉书》，一手牵牛一手翻书。这一幕恰巧被越国公杨素看到，他十分惊讶，认为自己的儿子们没有一个比得上李密。韀，坐骑背上的垫子。

绕朝赠策①，苻虏投鞭②。

【注释】

①绕朝赠策：典出《左传·文公十三年》。春秋时期，晋国大夫士会投奔秦国，晋人担心他在秦国受到重用，就用离间计迫使士会离开。士会离开秦国时，秦国大夫绕朝前来送行，并送给他一条马鞭，说：“秦国还是有聪明人的，只是没有人愿意采纳我的建议而已。”

②苻虏投鞭：典出《晋书·苻坚载记》。前秦君主苻坚坚持要征讨东晋，他说：“人人都说东晋有长江之险可凭，我有千军万马，每个人只须将马鞭丢到长江里，就可以让江水断流。”因为苻坚的自负，前秦军遭到惨败。

豫让吞炭①，苏武餐毡②。

【注释】

①豫让吞炭：典出《史记·刺客列传》。春秋时期，晋国大臣智伯被赵襄子杀死后，他的家臣豫让用漆烧坏身上的皮肤，用热炭损坏声带，并行乞于闹市之中，目的是杀死赵襄子。行刺失败之后，豫让请求赵襄子将外衣脱下并放在地上，他连刺外衣三下后自杀。

②苏武餐毡：典出《汉书·李广苏建传附苏武传》。西汉官员苏武在出使匈奴的时候遭到扣押，因为他坚决不降，于是就被囚禁起来。为了维持生命，苏武喝雪水，吃毛毡，终于在十九年后归国。

金台招士[①]，玉署贮贤[②]。

【注释】

①金台招士：典出《史记·燕召公世家》。战国时期，燕昭王用黄金修筑招览台广招贤士，吸引了乐毅、邹衍等人前来效力。

②玉署贮贤：典出《石林燕语》。北宋人苏易简做翰林学士承旨的时候，宋太宗为表彰他的清廉，亲自写了“玉堂之署”四个字赐给他。

宋臣宗泽[①]，汉使张骞[②]。

【注释】

①宋臣宗泽：典出《宋史·宗泽传》。南宋初年，名将宗泽在与金兵交战中屡屡获胜，令金人畏惧。但是，宗泽遭到南宋朝臣的排挤，最后郁郁而终。

②汉使张骞：典出《汉书·大宛引传》。汉武帝时，张骞奉命出使西域，为汉朝做出了巨大的贡献。

胡姬人种[①]，名妓书仙[②]。

【注释】

①胡姬人种：《世说新语·任诞》。西晋名士阮咸不拘泥于小节，与姑姑家的一个鲜卑族婢女产生了感情。守丧期间，听说姑姑要搬到远方去，阮咸借了一头驴，连丧服都没来得及脱，就去追赶婢女，追到之后大喊：“婢女已经有了身孕，不可离去。”

②名妓书仙：典出《青琐高议·书仙传》。唐代妓女曹文姬在书法上造诣颇深，为“关中第一”，号称“书仙”。

二　萧

滕王蛱蝶[1]，摩诘芭蕉[2]。

【注释】

①滕王蛱（jiá）蝶：唐代宫词用“内中数日呜呼唤，传得滕王蛱蝶图”的句子，来表现滕王在画蝶方面高超的技艺。

②摩诘（jié）芭蕉：典出《梦溪笔谈》。唐代诗人王维作画时并不太看重季节因素，他的《袁安卧雪图》就画了雪地上的一株芭蕉。有人认为，这种画法恰恰是在表现王维对内在精髓的无限追求。

却衣师道[1]，投笔班超[2]。

【注释】

①却衣师道：典出《朱子语类》。某年冬季，北宋大臣陈师道要跟随皇上祭天，而他家只有一件皮袄，所以他的妻子就私下向姐夫赵挺之家借了一件。陈师道因为与赵挺之素来不合，所以坚决不穿妻子借来的衣服，只穿着自己那件皮袄随皇上祭天。

②投笔班超：典出《后汉书·班超传》。东汉著名军事家、外交家班超年轻的时候用给官府抄写文书得来的报酬供养母亲。班超不喜欢这种生活，就将笔丢掉，说道：“大丈夫即便没有其他才能，也应该在异国他乡建立功勋，怎么可以天天抄抄写写呢？”后来，他从军平西域，因功受封为“定远侯”。

冯官五代[1]，季相三朝[2]。

【注释】

①冯官五代：典出《旧五代史·冯道传》。冯道先后在后唐、后晋、契丹、后汉、后周五朝担任官职，并将这段传奇的从政经历写入了《长乐老自叙》中。

②季相三朝：典出《左传·襄公五年》。春秋时期，季孙行父曾在鲁宣公、鲁成公、鲁襄公三君当政时担任过国相，都非常有功绩。

刘蕡下第①，卢肇夺标②。

【注释】

①刘蕡（fén）下第：典出《旧唐书·刘蕡传》。唐文宗时，刘蕡因为在考试中攻击当时手握朝廷大权的宦官而深受朝臣的敬佩，但还是没有人敢录用他。

②卢肇（zhào）夺标：典出《唐摭言》。唐代人卢肇与黄颇一同参加科举考试，但只有黄颇得到地方官的饯行。第二年，高中状元的卢肇返回家乡，受地方官邀请观看龙舟比赛，于是卢肇现场作诗说："向道是龙刚不信，果然夺得锦标归。"

陵甘降虏①，蠋耻臣昭②。

【注释】

①陵甘降虏：典出《史记·李将军列传》。西汉名将李陵率军与匈奴交战，在兵力与物资匮乏且没有后援的情况下，被匈奴包围，李陵不得已投降匈奴。

②蠋（zhú）耻臣昭：典出《史记·田单列传》。战国时期，燕国将军乐毅听说齐国画邑人有个贤能的人叫王蠋，就派遣使者请他到燕国做官，哪知王蠋宁死不肯为燕国效力。

隆贫晒腹①，潜懒折腰②。

【注释】

①隆贫晒腹：典出《世说新语·排调》。晋时，人们会在每年七月七日晾晒衣服。有一年，官员郝隆躺在太阳下，还把肚子的衣服掀了起来。别人问他原因，郝隆说是晒他肚子里的诗书。

②潜懒折腰：典出《宋书·隐逸传》。东晋诗人陶渊明做县令的时候，上级派人来巡查。依照规定，上级需要由身穿官服的陶渊明恭敬地迎接，陶渊明说："我不能为了区区一点俸禄，就像小孩子

一样弯腰。”于是便辞官归隐。

韦绶蜀锦[1]，元载鲛绡[2]。

【注释】

①韦绶蜀锦：典出《唐语林》。唐代人韦绶在翰林院做翰林学士的时候，有一次，唐德宗与韦妃一起去翰林院看他，碰巧韦绶正在睡觉，因为天气冷，德宗就让韦妃把自己的棉袍盖在韦绶的身上。

②元载鲛（jiāo）绡（xiāo）：典出《杜阳杂编》。唐代大臣元载有一顶紫绡帐，是从南海得来的，据说是鲛绡（一种独特的衣服，遇水也不湿）制成，冬天挡风，夏天生凉。

捧檄毛义[1]，绝裾温峤[2]。

【注释】

①捧檄（xí）毛义：典出《后汉书》。名士张奉到毛义府上去拜访他的时候，正好有人给毛义送来做县令的任命文书。看到毛义捧着文书高兴的样子，张奉觉得毛义过于重视功名，所以对他十分轻视。后来，毛义的母亲死去，他就再也不肯出来做官了，张奉才明白毛义当初是因为有俸禄孝敬母亲而高兴的。

②绝裾（jū）温峤（qiáo）：典出《世说新语·尤悔》。东晋大臣温峤奉命到外地做官，他的母亲不舍得他走而拉住他的衣襟不放，温峤扯断了自己的衣襟离开了。直至他的母亲去世，他都未能回来。

郑虔贮柿[1]，怀素种蕉[2]。

【注释】

①郑虔贮柿：典出《尚书故实》。唐代诗人、书画家郑虔非常喜欢书法，但又因为家中贫穷买不起纸，就把慈恩寺前的柿子叶扫到一起，每天在叶子上练字不止。

②怀素种蕉：典出《僧怀素传》。唐代僧人、书法家怀素喜爱书法，因为没有钱买纸，就在住所周围种了很多芭蕉树，用芭蕉叶当纸练字。

延祖鹤立[①]，茂弘龙超[②]。

【注释】

①延祖鹤立：典出《世说新语·容止》。据说西晋大臣嵇绍高大魁梧、器宇轩昂，犹如站在鸡群里的一只野鹤一样，令人瞩目。

②茂弘龙超：典出《世说新语·企羡》。东晋名士桓彝（yí）偶遇王导（字茂弘），忍不住感叹道："大家都说王导的样貌出众，今日一见，果然名不虚传。"

悬鱼羊续[①]，留犊时苗[②]。

【注释】

①悬鱼羊续：典出《后汉书·羊续传》。东汉人羊续官风廉明清正。下属曾送给他一条鱼，羊续因为不好推辞就收下了，把鱼挂起来风干。后来下属又来送鱼，羊续就把之前的那条鱼拿出来，谢绝下属的礼物。

②留犊时苗：典出《三国志·魏书》。东汉人时苗做县令的时候常用一头母牛驾车，在任职期间，这头母牛生了一头小牛。离任之时，时苗说："我来的时候这头小牛还未出世，所以就把它留在本地吧。"部下说："家畜是不认识自己父亲的，所以应该让它跟着母亲走。"但是，时苗还是将小牛留下了。

贵妃捧砚[①]，弄玉吹箫[②]。

【注释】

①贵妃捧砚：典出《摭遗》。李白奉唐玄宗之命写诗，让杨贵妃为其捧砚。于是，李白提笔写下《清平调》三章，称得上是言辞美妙，世间绝唱。

②弄玉吹箫：典出《列仙传》。春秋时期，秦穆公女儿弄玉善吹箫，丈夫萧史也擅长吹箫，能用箫模拟鸾凤的叫声，所以时常教弄玉模仿凤凰叫声。后来，弄玉坐在凤背上，萧史骑在龙身上，二人一同升天而去。

三　肴

栾巴救火[1]，许逊除蛟[2]。

【注释】

①栾巴救火：典出《神仙传》。东汉桓帝设宴款待术士栾巴，席间向栾巴赐酒。栾巴接过酒后，用嘴向西南方喷出，并解释道："我的家乡成都正在发生火灾，我这样做是为了救火。"几天后，成都地方官上报说当地火灾，却被一场突然降落的大雨浇灭，但奇怪的是，雨后满地都是浓郁的酒气。

②许逊除蛟：典出《十二真君传》。晋代道士许逊推算豫章（今属江西）可能被蛟龙占据而变成湖泊，就在城南的水井里铸了一根铁柱，并用八根铁链锁住地脉，从而解除了民患。

《诗》穷五际[1]，《易》布三爻[2]。

【注释】

①《诗》穷五际：典出《诗内传》。传说五际交会时，天下就会有比较大的变故。五际，指地支是卯、酉、午、戌、亥的年份。

②《易》布三爻（yáo）：典出《虞翻别传》。三国时期吴国的虞翻著成《易注》一书，并说："郡吏陈桃曾梦到我与道士偶遇，道士布下了六爻，并烧掉其中的三爻冲水为我喝下，说：'《易经》的大道在于上天，你有了这三爻就可以了。'可见，我生来就是要通晓《易经》啊！"爻，《易经》中表示卦象的符号。

清时安石[1]，奇计居鄛[2]。

【注释】

①清时安石：典出《晋书·谢安传》。东晋大臣谢安（字安石）在隐居时常与友人出游。虽然后来做了官，但他还是对那一段隐居生活

非常怀念。

②奇计居鄛(cháo)：典出《史记·项羽本纪》。范增以有计谋著称，他曾劝说项梁立楚王的后裔为楚怀王，后又为项羽出谋划策，被项羽尊为“亚父”。居鄛，古县名，这里指范增。

湖循莺脰[①]，泉访虎跑[②]。

【注释】

①湖循莺脰(dòu)：典出《广德湖记》。苏州的莺脰湖位于太湖的西南方，其形状就像莺的脖子一样。

②泉访虎跑(páo)：典出《咸淳临安志》。唐代高僧性空住在杭州大慈山上，因为这里没有水，所以他想搬到别处去。有神仙对他说：“你的到来，让这里的生灵都受到了你的恩惠。南岳衡山上有一处童子泉，明天就可以让两只老虎引过来了。”第二天，性空果真看到两只老虎在大慈山上刨地，直到泉水奔流涌出，所以这眼泉水被称为“虎跑泉”。

近游束晳[①]，诡术尸佼[②]。

【注释】

①近游束晳(xī)：典出《晋书·束晳传》。西晋文人束晳写过一篇《近游赋》，主要描写田园生活。

②诡术尸佼：战国诸子中，孟子、荀子以“道”成名；邹衍、尸佼(鲁国人，商鞅的老师)、孙武、苏秦、张仪等人，以“术”成名。

翱狂晞发[①]，嵇懒转胞[②]。

【注释】

①翱狂晞(xī)发：典出《福宁州志》。面对元兵南下，文天祥召集义军进行抵抗，诗人谢翱全力支持。在文天祥被俘后，谢翱做了道士，自号“晞发子”，并将所有诗作结集为《晞发集》。晞发，晒干头发，寓指高尚的情操。

②稽(jī)懒转胞：曹魏文学家嵇康说自已懒，时常在有便意的

时候还忍着不起身，非要等到实在忍不住的时候，才上厕所。胞，指膀胱。

西溪晏咏[①]，北陇孔嘲[②]。

【注释】

①西溪晏咏：典出《渑水燕谈录》。北宋大臣晏殊在西溪（今江苏）任职时亲手种了一株牡丹，并在旁边立了一方碑，在石碑上写诗纪念。后来，范仲淹也曾为牡丹写了一首诗。由于很多人都到这里写诗，此处的牡丹花多受到人们的珍惜，因而开得更加艳丽。

②北拢孔嘲：南朝人周颙（yóng）曾隐居在钟山（即北山，今江苏南京东北郊）之上，后来入仕做了县令。南朝齐骈文家孔稚珪笑周颙不能坚持隐居的志向，写《北山移文》嘲讽他。

民皆字郑[①]，羌愿姓包[②]。

【注释】

①民皆字郑：典出《三国志·魏书》。三国时期魏国人郑浑在担任地方官期间，督促农民发展生产，让百姓得以安居乐业。为了感激他，人们把新生的孩子都起名叫“郑”。

②羌愿姓包：典出《太平治迹统类》。西羌人俞龙珂在归降宋朝后，因羡慕包拯为宋国的忠臣，所以请求皇帝赐“包”姓。皇帝答应了他的请求。羌，古代少数民族。

骑鹏沈晦[①]，射鸭孟郊[②]。

【注释】

①骑鹏沈晦：典出《春渚纪闻》。宋代官员沈晦曾梦到自己骑着大鹏，上了天空，醒来后就写了《大鹏赋》。

②射鸭孟郊：典出《建康志》。唐代诗人孟郊在担任县尉时建设鸭堂，并作诗“不如竹枝弓，射鸭无是非。射鸭复射鸭，鸭惊菰蒲头”来记叙。

戴颙鼓吹[①]，贾岛推敲[②]。

【注释】

①戴颙鼓吹：典出《云仙散录》。南朝宋隐士戴颙每年春天都会带着两只柑橘和一斗酒出门，去听黄鹂鸟清脆的叫声，为作诗的人助兴。鼓吹，泛指音乐。

②贾岛推敲：典出《隋唐嘉话》。唐代诗人贾岛骑驴外出时，突然想起还没确定的一句诗“僧敲月下门”，他反复思考到底用“敲”字好还是用“推”字好，不知不觉间冲进了京兆尹韩愈的队伍里。韩愈问明缘由，说：“还是‘敲’字好。”

四　豪

禹承虞舜[①]，说相殷高[②]。

【注释】

①禹承虞舜：典出《史记·夏本纪》。大禹受命治水，三次经过自己的家门都没有进去。治水成功之后，舜认为禹治水有功，于是推举禹做部落首领。

②说（yuè）相殷高：典出《史记·殷本纪》。商王武丁在位时，有一天梦见上天要赐一位贤臣给他。武丁醒来后即刻寻找，终于将正在做苦役的傅说找到，并任命其为宰相。

韩侯敝袴[①]，张禄绨袍[②]。

【注释】

①韩侯敝袴：典出《韩非子·内储说上》。战国时期韩国国君韩昭侯将自己的一条破裤子交给身边人收藏起来。身边人说："给身边的人作赏赐吧。"韩昭侯说："明君很在乎自己的一言一行，难道这条裤子不比言行更值得珍惜吗？还是等身边的人有了功绩再赏赐吧！"

②张禄绨（tí）袍：典出《史记·范雎蔡泽列传》。范雎在魏国给须贾做门客期间，因受无端怀疑惨遭毒打。范雎逃脱后改名张禄，入秦为相。须贾出使秦国，范雎穿着破旧的衣服去见他，须贾惊讶地问："你为何这么贫困啊？"于是送给他一件绨袍。后来，须贾才知道范雎当时已担任秦相，连忙为之前的事情向范雎赔礼谢罪，并得到了范雎的原谅。

相如题柱[1]，韩愈焚膏[2]。

【注释】

①相如题柱：典出《华阳国志·蜀志》。西汉文学家司马相如从故乡成都东游，在途经成都附近的升仙桥时，写道："不乘贵人的车马，绝不再过这座桥。"后来，在升任中郎将后，司马相如才回到家乡。

②韩愈焚膏：唐代文学家韩愈自幼好学，即便做官之后也依旧保持着勤奋阅读的习惯，白天读书还嫌不够，晚上也要点起灯来继续看。膏，这里指灯油。

捐生纪信[1]，争死孔褒[2]。

【注释】

①捐生纪信：典出《史记·高祖本纪》。楚汉争霸中，刘邦被项羽围困后，部将纪信表示愿意掩护刘邦突围。最终，纪信被项羽杀死。捐生，捐献自己的生命。

②争死孔褒：典出《后汉书》。东汉名士张俭遭宦官侯览记恨，遭到侯览诬陷，在听到侯览要逮捕自己后，连忙逃走。张俭逃到孔褒家，碰巧孔褒不在，弟弟孔融将其藏了起来。结果，孔家兄弟都因窝藏被逮捕。审讯中，孔褒说自己才是张俭要投奔的人，孔融说收留张俭的人是自己，争相包揽罪名。最终，孔褒被处死。

孔璋文伯[1]，梦得诗豪[2]。

【注释】

①孔璋文伯：典出《三国志·吴书》。三国时期吴国谋士张纮用写信的方式对文学家陈琳所写的《武库赋》《应机论》进行夸赞。

②梦得诗豪：白居易说："诗人刘禹锡（字梦得）才华出众，是当世诗坛的豪杰，少有人能够与他较量。"

马援矍铄[1]，巢父清高[2]。

【注释】

①马援矍（jué）烁：典出《后汉书·马援传》。东汉初年，南方发生叛乱，六十二岁的马援将军主动请缨，请求出征。光武帝认为他年事已高，不宜出战，但是马援披甲上马，没有半点含糊。于是，光武帝派他出征。

②巢父（fǔ）清高：典出《高士传》。尧帝想把自己的位置让给巢父，巢父拒不接受，并从此隐居。

伯伦鸡肋[1]，超宗凤毛[2]。

【注释】

①伯伦鸡肋：典出《竹林七贤论》。西晋名士刘伶（字伯伦）曾与人争执，对方愤怒之下想要打他。刘伶和蔼地说："我这像鸡肋一样的身子骨，可禁不住您的拳头啊。"刘伶的话立刻把对方逗乐了，才没打他。鸡肋，这里指瘦弱的身体。

②超宗凤毛：典出《南齐书·谢超宗传》。文人谢超宗（谢灵运之子）十分擅长写文章。于是，南朝宋孝武帝夸赞他，说："这世间恐怕是又要出一个谢灵运了。"凤毛，凤凰的毛，后喻指非常稀少的东西。

服虔赁作[1]，车胤重劳[2]。

【注释】

①服虔赁作：典出《世说新语·文学》。东汉经学家服虔要为《春秋》作注解的时候，听说崔烈正在讲授《春秋左氏传》，便改了名字到崔烈家中做饭，偷听他讲课。后来，崔烈知道做饭的人就是服虔，便和服虔成了好朋友。

②车胤重劳：典出《世说新语·言语》。东晋大臣谢安、谢万兄弟曾私下给朝中官员讲习《孝经》。车胤有了问题又不好提出，就说道："不问就怕会遗漏掉不懂的地方，问了又怕谢安兄弟太辛苦。"

别人告诉他说:“不用担心,你会觉得镜子因为人们总去照而烦恼吗?”

张仪折竹[①],任末燃蒿[②]。

【注释】

①张仪折竹:典出《拾遗记》。战国时期著名政治家张仪曾靠给人抄书维持生计,也会把有价值的话抄在手掌或大腿上,回到住处后再连夜抄在竹简上。

②任末燃蒿:典出《拾遗记》。东汉学者任末从小就非常勤奋好学。他用荆条制笔,夜里在月光下学习,光亮不足以照清字的时候,就点起蒿草来照明。

贺循冰玉[①],公瑾醇醪[②]。

【注释】

①贺循冰玉:典出《晋书·贺循传》。东晋大臣贺循不仅官风清廉,而且博学多才,曾被晋元常评价为“像冰和玉一样清洁,因为他的住宅只勉强能遮风挡雨”。

②公瑾醇(chún)醪(láo):典出《三国志·吴书》。周瑜小的时候,经常受自负年长有功的程普的欺负,而他却始终以宽厚、不计较的态度对待程普。后来程普对人说:“与周公瑾交往,就像品尝醇醪一样,慢慢地就醉了。”

庞公休畅[①],刘子高操[②]。

【注释】

①庞公休畅:典出《襄阳记》。东汉名士庞德公的住所和司马德操的住所之间只隔着一条汉水。他们两家非常要好,到对方家里串门就像回到自己家一样。

②刘子高操:典出《南史·刘讦(xū)传》。南朝齐隐士刘讦、刘歊(xiāo)兄弟与名士阮孝绪三人都有很高尚的情操,并称为“三隐”。作为刘讦、刘歊的长辈,刘孝标曾称赞刘讦像空中彩霞,称赞

刘歆就像天上飞翔的白鹤。

季札挂剑[1]，吕虔赠刀[2]。

【注释】

①季札挂剑：典出《史记·吴太伯世家》。春秋时期吴国公子季札出使鲁国的途中经过徐国。徐国国君喜欢季札的佩剑，但不好张口讨要。季札身为使者不能没有佩剑，尽管知其心意却没有将剑送出。他回国途中再次经过徐国，想把佩剑送给徐国国君，却听说国君已经去世，于是把佩剑挂在国君墓旁的树上。

②吕虔赠刀：典出《晋书·王祥传》。三国时期魏国将领吕虔有一口佩刀，但很多人都认为此刀不应该佩在他的身上。吕虔对属下王祥说："不合适的人佩这口刀，可能会给自己招致灾祸。你将来肯定能做到三公，就把这口刀送给你吧。"后来，王祥果然跻身于三公之列。

来护卓荦[1]，梁竦矜高[2]。

【注释】

①来护卓荦（luò）：典出《北史·来护儿传》。隋代将领来护儿小时候读《诗经》，当读到"敲鼓声音响镗镗，鼓舞士兵上战场"时，不禁叹息："大丈夫就应该这样！"他认为，应该为国家多立战功，怎能一辈子都在田地里劳作呢？

②梁竦矜高：典出《后汉书·梁统传附梁竦传》。东汉文学家梁竦登高远望后扼腕叹息道："大丈夫处世，活着的时候就应该建功封侯，死了应该被供奉在宗庙里。如果做不到，那么做官就是在给自己找麻烦。"

壮心处仲[1]，操行陈陶[2]。

【注释】

①壮心处仲：典出《世说新语·豪爽》。东晋大臣王敦（字处仲）喜欢喝酒，更喜欢在喝醉之后用铁如意作鼓槌敲壶打拍子，吟

唱曹操的《短歌行》。

②操行陈陶：典出《唐诗纪事》。唐代诗人陈陶拥有高洁的操行，过着隐居世外的生活。当地刺史严宇派了一个妓女去陪伴他，陈陶却只是微笑并不理会妓女，严宇因此更加尊重他了。

子荆爽迈[①]，孝伯清操[②]。

【注释】

①子荆爽迈：典出《晋书·孙楚传》。西晋文学家孙楚（字子荆）有才能却非常高傲。在被任命为石苞的参军后，孙楚拜见主帅时仅以作揖而不是以叩拜为礼节，全没有下属的意识。

②孝伯清操：典出《晋书·王恭传》。东晋官员王恭（字孝伯）清操超过其他人，他从会（kuài）稽太守任上卸任回京时，带回一张竹席，见堂叔王忱非常喜欢就送给了他，从此便坐在草垫上。

李订六逸[①]，石与三豪[②]。

【注释】

①李订六逸：典出《旧唐书·文苑传下》。唐代诗人李白曾与孔巢父、陶沔、韩准、裴致、张叔明一起，在徂（cú）徕（lái）山下竹溪边生活，因此被称为“竹溪六逸”。

②石与三豪：典出《苕溪渔隐丛话》。北宋大臣、文学家石延年在写诗上很有水平。在宋朝诗人石介的《三豪诗》中，欧阳修、石延年、杜默被依次称为文豪、诗豪、歌豪。

郑弘还箭[①]，元性成刀[②]。

【注释】

①郑弘还箭：典出《搜神记》。东汉人郑弘在山里打柴时，捡到一支箭，不久有仙人前来寻找，郑弘把箭还给了他。仙人问郑弘要什么作为酬谢，郑弘答道：“希望白天刮南风，晚上刮北风，这样能帮助运柴的船快速运输。”

②元性成刀：典出《蒲元别传》。三国时期蜀汉官员蒲元曾为

蜀军铸造三千口刀，这些刀全部能够斩断装满铁珠的竹筒，被称为“神刀”。

刘殷七业[1]，何点三高[2]。

【注释】

①刘殷七业：典出《晋书·孝友传》。西晋、十六国时期，大臣刘殷有七个儿子，他让其中五个分别学习《诗经》《尚书》《易经》《仪礼》《春秋》《史记》《汉书》。于是，人们称他家为“一门之内，七业俱兴”。

②何点三高：典出《南史·何尚之传附何胤传》。南北朝时期，隐士何点和哥哥何求、弟弟何胤，都远离官场，过隐居生活，被世人称为“何氏三高”。

五　歌

二使入蜀[1]，五老游河[2]。

【注释】

①二使入蜀：典出《后汉书·方术传》。汉和帝派两名使者考察蜀地的民俗。当他们来到驿站歇息的时候，驿站的小厮问他们知不知道皇帝的使者什么时候出发。使者疑惑他怎么知道皇帝派出了使者，原来小吏是通过观察天象得知的。

②五老游河：典出《论语谶（chèn）》。孔子说："据说尧帝带舜等人出游过程中，在河边看到五位游玩的老人。过了一会儿，这五位老人就变成流星飞走了。"

孙登坐啸[1]，谭峭行歌[2]。

【注释】

①孙登坐啸：典出《晋书》。魏晋时期士人孙登在隐居时，阮籍前来拜见，但他并不理会，即使阮籍对他发出长啸（一种清悠、响亮的口技）也不回应。阮籍失望而回，走到半路时，听到有声音如同鸾鸟在鸣叫，原来是孙登发出的啸声，作为对阮籍的回应。

②谭峭（qiào）行歌：典出《续仙传》。唐末五代时期道士谭峭经常在走路的过程中吟唱，后来得道成仙。

汉王封齿[1]，齐主烹阿[2]。

【注释】

①汉王封齿：典出《史记·留侯世家》。汉王刘邦登基后，将大量没有战功的亲戚封为诸侯，朝臣感到非常不满。后来，在张良的建议下，刘邦将他最恨的人雍齿封侯，大家才都安了心。

②齐主烹阿：典出《列女传·辩通传》。战国时期，齐威王听人

说即墨（今山东即墨）长官的坏话，说阿地（今山东东阿）长官的好话，但听到的与实际情况恰恰相反。于是，齐威王扩大了即墨长官的封邑，把阿地长官和给他说好话的人全部杀掉了。

丁兰刻木[①]，王质烂柯[②]。

【注释】

①丁兰刻木：典出《逸人传》。东汉人丁兰在母亲去世之后，用木头将母亲的形象雕刻出来，如同母亲在世时一样供奉。

②王质烂柯：典出《述异记》。晋代樵夫王质到山中伐木，在一间石室门前看到两个孩子正在下棋，就把斧子放在一旁观看。等两个孩子的棋下完，斧子的柄已经烂了，而世间也已经过了几百年。后来，王质回到山中得道成仙，而这座山也被后人称为“烂柯山”。

霍光忠厚[①]，黄霸宽和[②]。

【注释】

①霍光忠厚：典出《汉书·霍光传》。西汉武帝晚年时出于对太子年幼的担忧，选择了忠厚严谨的霍光辅佐幼主。

②黄霸宽和：典出《汉书·循吏传》。西汉大臣黄霸性格温和善良而又多才多智，素有“宽和”的美名。

桓谭非谶[①]，王商止讹[②]。

【注释】

①桓谭非谶（chèn）：典出《后汉书·桓谭传》。汉光武帝刘秀靠谶语（古代一种为了让政治形势有利于己而编造的预言）起家，后来他想用谶语一统天下，遭到哲学家、经学家桓谭的坚决反对。刘秀对此极为震怒，一气之下将桓谭贬谪到外地做官。

②王商止讹：典出《汉书·王商传》。西汉成帝时，传言说京城要遭遇洪水，官民都十分害怕，但只有官员王商说这是谣言。果然，过了很长时间，洪水都没有到来。

隐翁龚胜[1]，刺客荆轲[2]。

【注释】

①隐翁龚胜：典出《汉书·两龚（龚胜龚舍）传》。西汉大臣龚胜辞官后过起了归隐的生活，王莽篡位后想请他出来继续做官，但遭到龚胜的拒绝。为表示对汉王朝的忠心，龚胜最后绝食而死。

②刺客荆轲：典出《史记·刺客列传》。战国时期，刺客荆轲在燕国太子丹的请求下，担负起行刺秦王嬴政的任务。结果，行刺以失败告终。

老人结草[1]，饿夫倒戈[2]。

【注释】

①老人结草：典出《左传·宣公十五年》。晋国大夫魏武子对妾非常宠爱，在他晚年病重时，要求儿子魏颗在他死后将爱妾出嫁，临死时又改口让爱妾殉葬。武子去世后，魏颗把父亲后来的话当作病重时的糊涂话，于是把爱妾嫁了出去。后来，魏颗和秦国交战，看见一个老人将草打成结，绊倒了秦将，帮助魏颗大胜。当夜，魏颗梦见老人自称是那位爱妾的父亲，是专门前来报恩的。

②饿夫倒戈：典出《左传·宣公二年》。春秋时期，晋国大夫赵盾在打猎过程中救起了饿倒的灵辄。后来，灵辄做了晋灵公的武士，当灵公要杀死赵盾时，灵辄反而攻击灵公派来的武士，掩护赵盾逃走。

弈宽李讷[1]，碑赚孙何[2]。

【注释】

①弈宽李讷（nè）：典出《南部新书》。唐朝官员李讷性情急躁，只有下棋能让他变得宽和。所以，他一发怒，家人就会将棋具摆在他的面前，让他冷静下来。

②碑赚孙何：典出《涑水记闻》。北宋官员孙何生性急躁且喜欢苛责别人，地方官都怕他。后来，人们知道孙何喜欢古文字，就

有意从碑刻拓本中找一些字迹模糊的给他，让他没有精力再细究地方事务。

子猷啸咏[①]，斯立吟哦[②]。

【注释】

①子猷（yóu）啸咏：《世说新语·任诞》。东晋名士王徽之（字子猷）非常喜欢竹子，有一次临时借住一所宅院，还催促仆人种上竹子，仆人问他为什么，王徽之一边吟咏一边回答："因为我一天也离不开竹子呀。"

②斯立吟哦（é）：典出《韩昌黎集·蓝田县丞厅壁记》。唐代官员崔立之（字斯立）非常喜欢松树，还在任职所在地的官署院里种了两棵松树。他每天都在松树间吟诗，并说是在处理公事。

奕世貂珥[①]，闾里鸣珂[②]。

【注释】

①弈世貂珥（ěr）：《汉书·金日磾传》。金日磾作为汉朝的俘虏来到朝廷，为汉武帝所重视，成为与霍光同等重要的辅政大臣。

②闾里鸣珂：典出《新唐书·张嘉贞传》。张嘉贞与弟弟张嘉佑都在唐玄宗时身居高位，每到上朝时，他们的住处就站满了他们的仪仗和随从，非常喧闹。所以，当时的人们给他们所住的地方取了个形象的名称"鸣珂里"。

昙辍丝竹[①]，裒废《蓼莪》[②]。

【注释】

①昙（tán）辍丝竹：典出《晋书·谢安传》。在东晋大臣谢安去世后的很多年里，他的外甥羊昙都不听音乐，甚至也不从谢安曾经任职的官衙门前经过。

②裒（póu）废《蓼（lù）莪（é）》：典出《晋书·孝友传》。西晋王裒每次读到"哀哀父母，生我劬（qú）劳"（可怜我的父母亲辛苦地将我抚养长大）时，总会为被晋文帝杀害的父亲痛哭流涕。因为

怕触动王裒的哀思，所以门人总是回避读诵这首诗。

箕陈五福①，华祝三多②。

【注释】

①箕陈五福：典出《尚书·洪范》。周武王向商纣王的叔父箕子请教治国之道。箕子以为君者的九条规范作答，提到“飨用五福，威用六极”的观点，也就是要将五福作为享受，引导人们向善；把六极当作最严重的威胁，威慑人们不敢作恶。所谓的五福，是指长寿、富有、健康安宁、仁善宽厚、善终。

②华祝三多：典出《庄子·天地》。帝尧到过华地，地方官向他送上了“多福、多寿、多生男孩”的祝福。

六　麻

万石秦氏[①]，三戟崔家[②]。

【注释】

①万石秦氏：典出《后汉书·循吏传》。在西汉大臣秦袭的堂兄弟及子侄辈中有四人身居俸禄两千石的高位，加上秦袭共有万石，因此秦家也被时人称为“万石秦氏”。

②三戟（jǐ）崔家：典出《旧唐书·崔神庆传》。唐玄宗时崔琳做太子少保的时候，他的弟弟崔珪任太子詹事，弟弟崔瑶任光禄大夫。因为他们三家门前都有象征身份和地位的棨（qǐ）戟，因此被人们称为“三戟崔家”。

退之驱鳄[①]，叔敖埋蛇[②]。

【注释】

①退之驱鳄：典出《旧唐书·韩愈传》。唐代文学家韩愈（字退之）被贬至潮州（今广东潮州）任职。他听说当地有鳄鱼伤害百姓，于是以祭文的形式勒令鳄鱼离开。据说，当晚风雨大作，鳄鱼都逃走了，当地得以安定。

②叔敖埋蛇：典出《新书·春秋》。孙叔敖小时候遇见一条两个头的蛇，就把它打死埋起来了。回家后，他对母亲哭诉：“听说看到过两头蛇的人会死。”母亲说：“有德行的人一定会有好报，你怕其他人再看到它就将它埋了起来，这就是有德行，所以你不会死的。”后来，孙叔敖果然一直都很健康。

虞诩易服[①]，道济量沙[②]。

【注释】

①虞诩（xǔ）易福：典出《后汉书·虞诩传》。东汉武都太守虞

诩被造反的羌人围困，城内力量严重不足，只有三千人。于是，虞诩命令士兵从东门出城，再从西门进城，每一次都换衣服，以免被敌人识破。往返几次之后，虞诩给羌人造成了城中士兵上万的假象，于是羌人撤退了。

②道济量沙：典出《南史·檀道济传》。南朝宋名将檀道济在与北魏交战时，因粮食不足不得不撤退。叛徒将缺粮之事告诉北魏，于是北魏派兵追击。为了迷惑敌人，檀道济命令士兵将粮食铺在沙土上，对粮食和沙土一起称量，整整忙活了一夜。北魏军误以为檀道济还有很多食物，于是不敢再追击。

伋辞馈肉[1]，琼却饷瓜[2]。

【注释】

①伋（jí）辞馈肉：典出《孟子·万章》。战国初期，鲁穆公总是派人送肉给孔伋。孔伋认为国君这样做不合礼法，于是态度恭敬地加以谢绝。

②琼却饷瓜：典出《北齐书·循吏传》。北齐人苏琼官风清廉，不愿意接受别人的礼物。一位退休官员将一只瓜送给苏琼，苏琼接受后，将瓜挂在了房梁上。百姓听说苏琼接受了瓜，就都来送礼，但见到房梁上挂着的瓜后，又都回去了。

祭遵俎豆[1]，柴绍琵琶[2]。

【注释】

①祭遵俎（zǔ）豆：典出《后汉书·祭遵传》。东晋大将祭遵即使在带兵打仗途中，也没有忘掉祭祀。

②柴绍琵琶：典出《旧唐书·柴绍传》。唐代大将柴绍率军抵御吐谷（yù）浑军队的时候，特意安排舞女跳舞，让琴师伴奏。等敌军把精力集中到歌舞上之后，柴绍才命令精锐部队迂回到敌军背后攻击，一举把强敌击溃。

法常评酒①，鸿渐论茶②。

【注释】

①法常评酒：典出《清异录》。僧人释法常嗜酒，在他看来，“酒天虚无，酒地绵邈，酒国安恬”，所以饮酒时不需要顾及君臣之礼，也不需要考虑钱财之利，更不会涉及刑罚赏惩，所以是个充满乐趣的世界。

②鸿渐论茶：典出《新唐书·隐逸传》。唐朝人陆羽（字鸿渐）嗜茶，将各种关于茶的知识，都收录到他的专著《茶经》中，被人们称为“茶圣”。

陶怡松菊①，田乐烟霞②。

【注释】

①陶怡松菊：东晋文学家陶渊明在《归去来兮辞》中说“三径就荒，松菊犹存”，以松树和菊花彰显其自我怡悦的志向。

②田乐烟霞：典出《旧唐书·隐逸传》。唐代人田游岩一生隐居。在唐高宗亲自去看他并问他过得怎样时，田游岩笑着答道：“我酷爱烟霞（泛指山林）的美景，并且生活在唐王的统治下，所以自在逍遥。”

孟郸九穗①，郑珏一麻②。

【注释】

①孟郸（yè）九穗：典出《北齐书·循吏传》。北齐人孟郸素有“宽厚”的美名，他在担任东郡太守期间，土地上长出了一株长了九个穗头的麦子，人们认为是其德行感动了上天所致。

②郑珏（jué）一麻：典出《纪异录》。五代时期，在官员郑珏家的阁楼下长出一株麻，待到下霜之时，麻被染白了，不久，郑珏就接到朝廷的任命诏书，升任宰相。

颜回练马①，乐广杯蛇②。

【注释】

①颜回练马：典出《论衡·书虚》。孔子与弟子颜回一起登上泰山，遥望吴国的阊门。孔子问颜回是否看到了阊门，颜回说看到了，孔子问他看到阊门门外有什么东西的时候，颜回却说看到一匹练。其实，那是一匹白马。

②乐（yuè）广杯蛇：典出《晋书·乐广传》。西晋官员乐广曾与朋友在一起饮酒，没想到朋友回去之后就生病了。乐广去看他的时候，朋友对他说，他在喝酒时，从杯子里看到了蛇的影子。乐广回去一看，原来是厅壁上挂着一弯弓。于是，他又把朋友请来，向他证明杯中呈现的是弓的倒影，结果朋友很快就康复了。

罗向持节①，王播笼纱②。

【注释】

①罗珦（xiàng）持节：典出《鉴戒录》。唐代官员罗珦年轻时因家中贫穷，所以不得不到故乡的福泉寺中随僧人一起吃饭。二十年后，衣锦还乡的罗珦在曾经住过的僧房里题诗纪念。

②王播笼纱：典出《唐摭言》。唐代大臣王播在尚未进入仕途时曾在扬州木兰寺寄居，和尚们都对他十分嫌弃。多年之后，做了官的王播重游故地，发现自己题在墙上的诗已被和尚们用碧纱严密地包裹起来了。

能言李泌①，敢谏香居②。

【注释】

①能言李泌：典出《邺侯外传》。唐代大臣李泌请求唐肃宗允许自己辞官隐退。唐肃宗问他选择隐退的原因，李泌说是因为皇帝把自己有战功的儿子杀掉了，并希望皇帝以后能谨慎地做事。唐肃宗表示一定会牢记李泌的话。

②敢谏香居：典出《新序·刺奢》。战国时期，齐宣王的一座宫

殿建了三年都没有建好，群臣虽有意见但又不敢进谏。大夫香居冒死以楚王废弃先王礼乐的故事劝谏。齐宣王听从谏言，停建了这座久久不能完工的宫殿。

韩愈辟佛[1]，傅奕除邪[2]。

【注释】

①韩愈辟（pì）佛：典出《旧唐书·韩愈传》。崇信佛教的唐宪宗决定将法门寺的佛骨迎到京中供养，韩愈反对此举，他认为，为了避免佛骨引发社会混乱，应该将佛骨销毁。

②傅奕除邪：典出《隋唐嘉话》。唐太宗时，一位出身少数民族的僧人宣称自己拥有能咒人生死的本领，学者傅奕不信，说他在自己身上肯定会失败，结果果然如此。

春藏足垢[1]，邕嗜疮痂[2]。

【注释】

①春藏足垢：典出《南史·阴子春传》。南朝梁将领阴子春十分不讲卫生，自称因为每次洗脚都会发生不吉利的事情，所以从不洗脚。

②邕嗜疮痂：典出《宋书·刘穆之传附刘邕传》。南朝宋官员刘邕对伤口上结的痂有特别的喜好。有一次，刘邕去探望受伤的朋友孟灵修，将他身上掉落的痂全都放进嘴里。孟灵修见状，把自己身上还没有掉落的痂都揭下来给刘邕吃，弄得自己浑身都是鲜血。

薛笺成彩[1]，江笔生花[2]。

【注释】

①薛笺（jiān）成彩：典出《续博物志》。唐代名妓薛涛在成都浣花溪旁居住，造出了独特的十色彩笺，人称“薛涛笺”。

②江笔生花：典出《太平广记·江淹传》。南朝文学家江淹少年时曾梦到有人将一支五色笔送给他，之后他的文章越写越好。后来江淹又梦到此人向他索回五色笔，结果此后江淹再无佳句。

班昭汉史[①]，蔡琰胡笳[②]。

【注释】

①班昭汉史：典出《后汉书·列女传》。在还没有完成《汉书》写作的时候，班固就去世了。后来，班固的妹妹班昭奉汉和帝旨意完成了《汉书》余下部分的写作。

②蔡琰胡笳（jiā）：典出《后汉书·列女传》。蔡琰（蔡文姬，其父为东汉文学家蔡邕）遭匈奴强掳二十年。后来，痛惜蔡邕无后的曹操将蔡琰赎回。她二十年间所有的悲惨经历，都被写入了《胡笳十八拍》。

凤凰律吕[①]，鹦鹉琵琶[②]。

【注释】

①凤凰律吕：典出《吕氏春秋·仲夏纪》。黄帝时期的伶伦用吹管定出标准音，又以凤凰的叫声为根据定出律吕，其中雄鸟的叫声被定为“六律”，雌鸟的叫声被定为“六吕”。

②鹦鹉琵琶：典出《侯鲭录》。宋代大臣蔡确的家中有一只鹦鹉，当他敲击响的时候，鹦鹉就喊出“琵琶（家中侍女）”的名字。后来，琵琶去世了，当蔡确不小心碰到响板的时候，鹦鹉又一次叫出了“琵琶”的名字，让蔡确很伤感。

渡传桃叶[①]，村名杏花[②]。

【注释】

①渡传桃叶：典出《金陵图经》。东晋书法家王献之有个叫桃叶的小妾。相传她与王献之在秦淮河畔分别的时候，王献之曾作送别的歌曲，之后这个渡口就被叫作“桃叶渡”。

②村名杏花：《广舆记·池州府》。杜牧曾有著名的诗句“借问酒家何处有，牧童遥指杏花村”，其中提到的“杏花村”就位于池州府（今属安徽）境内。

七　阳

君起盘古[1]，人始亚当[2]。

【注释】

①君起盘古：典出《皇王大纪》。在中国古代传说中，是盘古开辟了天地，称得上是天地间的第一个君王。

②人始亚当：典出《旧约·创世纪》。上帝用泥土创造出男人之后，从男人的身上挖走一根肋骨创造出女人。并且上帝给男人取名叫亚当，给女人取名叫夏娃。

唐宗花萼[1]，灵运池塘[2]。

【注释】

①唐宗花萼：典出《旧唐书·睿宗诸子》。唐玄宗与兄弟们非常要好，世人常用花瓣和花萼的关系形容他们亲近的程度。

②灵运池塘：典出《谢氏家录》。东晋文学家谢灵运对弟弟谢惠连非常欣赏，每次与弟弟相见，都会产生很好的文思，如"池塘生春草"这样的佳句，就是在梦见谢惠连之后得到的。

神威翼德[1]，义勇云长[2]。

【注释】

①神威翼德：典出《三国志·蜀书》。刘备兵败荆州逃往蜀中途中，来到当阳长坂坡的时候，张飞率领二十骑断后，据水断桥大喝："身是张翼德也，可来共决死！"曹军中无一人敢上前一步。

②义勇云长：典出《三国志·蜀书》。关羽被曹操擒住后，为保护两位嫂嫂暂时栖身曹营，在得知兄长刘备在袁绍的军营中后，将曹操的封赏全部封存，离开曹营，前往相寻。

羿雄射日①，衍愤飞霜②。

【注释】

①羿（yì）雄射日：典出《淮南子·本经训》。传说尧帝时期，天上曾同时升起十个太阳，导致天下大旱，民不聊生。尧帝命神箭手后羿射掉了九个太阳，只留下一个，这才解救了百姓。

②衍愤飞霜：典出《淮南子》。战国时期，齐人邹衍因为在辅佐燕昭王时受到礼遇，在惠王即位后则遭谗言而被关进监狱。邹衍为自己的遭遇痛哭，居然引起“夏季霜雪到”的奇景。

王祥求鲤①，叔向埋羊②。

【注释】

①王祥求鲤：典出《搜神记》。三国时期，魏人王祥非常孝顺，为了满足继母吃鲤鱼的愿望，在寒冬时节卧于冰面上，用自己身体的热量融化坚冰来求鲤。上天感动于此，赐给了他两条鲤鱼。后人用“卧冰求鲤”来比喻孝心。

②叔向埋羊：典出《列女传·仁智传》。有人将一只偷来的羊的羊头送给叔向，他的母亲不希望与人结怨，于是收下羊头，并原封不动地埋了起来。三年后案发，官府挖出了完整的羊头骨，判定叔向无罪。

亮方管乐①，勒比高光②。

【注释】

①亮方管乐：典出《三国志·蜀书》。诸葛亮在隆中隐居时，曾自比管仲、乐毅。

②勒比高光：典出《晋书·石勒载记》。十六国时期，后赵石勒认为自己比不上汉高祖刘邦，但与光武帝刘秀齐平。

世南书监①，晁错智囊②。

【注释】

①世南书监：典出《旧唐书·虞世南传》。唐太宗称赞担任秘书

监的大臣虞世南，是一个“会走动的藏书阁”，出行时只要带着虞世南就可以了。

②晁错智囊：典出《史记·袁盎晁错列传》。西汉文帝时期，晁错被任命为太子的老师，因足智多谋而获得太子的信任，被太子称为“智囊”。

昌囚羑里[1]，收遁首阳[2]。

【注释】

①昌囚羑（yǒu）里：典出《史记·周本纪》。商朝末年，姬昌被纣王囚禁在羑里（今河南汤阴县北）。

②收遁首阳：典出《旧唐书·薛收传》。隋朝末年，薛收在首阳山隐居，后被秦王李世民邀请出山，做了负责起草文书的主簿。

轼攻正叔[1]，浚沮李纲[2]。

【注释】

①轼攻正叔：典出《邵氏闻见后录》。北宋时期，程颐（字正叔）与苏轼因拥有不同政见而相互攻击，凡是与两人有交情的朝中大臣全都卷入其中。

②浚沮李纲：典出《建炎以来系年要录》。南宋时期，张浚编造罪名弹劾李纲，导致李纲被宋高宗罢免了职务，世人为此不平。

降金刘豫[1]，顺虏邦昌[2]。

【注释】

①降金刘豫：典出《宋史·叛臣传》。宋人刘豫为官期间，曾两次直面金人的威胁。第一次发生在北宋末年，面对金人的攻势，刘豫弃室逃跑。到了南宋初年，朝廷委派他做济南知府，再次遭遇金兵南下，结果叛降了金人。

②顺虏邦昌：典出《宋史·叛臣传》。北宋时期，金人在掳走将宋徽宗父子之后，册封大臣张邦昌为“楚帝”。后来，张邦昌归附南宋，但依然因为叛国被处死。

瑜烧赤壁[1]，轼谪黄冈[2]。

【注释】

①瑜烧赤壁：典出《三国志·吴书》。当曹操南下攻吴时，很多东吴大臣都力主投降，只有周瑜主张坚决抵抗，最后以火攻的方式在赤壁打败了曹军。

②轼谪黄冈：典出《诗林广记·乌台诗案》。苏轼因诗中被御史找出“诽谤皇帝”的相关词句而下狱，最后被贬谪到黄冈为官。

马融绛帐[1]，李贺锦囊[2]。

【注释】

①马融绛帐：典出《后汉书·马融传》。马融非常喜欢音乐，连教学时都要用绛纱帐隔出空间，安排乐师在纱帐后演奏。

②李贺锦囊：典出《李长吉小传》。李贺每天出门都要让一个仆从背着锦囊跟着，一有好诗句就第一时间记录下来，晚上回家后再整理。

昙迁营葬[1]，脂习临丧[2]。

【注释】

①昙迁营葬：典出《高僧传》。僧人昙迁与大臣范晔保持着密切的关系，后范晔因谋反罪被杀并祸及亲友，昙迁知道后变卖自己的所有物品，帮助范晔及其家人办理丧事。

②脂习临丧：典出《三国志·魏书》。曹魏官员脂习与孔融关系非常好，在曹操处死孔融时，只有脂习到刑场为孔融哭丧收尸。

仁裕诗窖[1]，刘式墨庄[2]。

【注释】

①仁裕诗窖：典出《后史补》。唐末五代人王仁裕一生笔耕不辍，写了一万多首诗，被称作称“诗窖子”。

②刘式墨庄：典出《刘氏墨庄记》。北宋时期，刘式藏书数千卷，成为儿子们学习的宝库，被他的妻子称为“墨庄”。

刘琨啸月[1]，伯奇履霜[2]。

【注释】

①刘琨啸月：典出《晋书·刘琨传》。西晋时期，并州刺史刘琨被匈奴人包围在晋阳城中，他半夜登城楼望月长啸，又弹奏胡笳，匈奴人听到后思念家乡，第二天就撤兵了。

②伯奇履霜：典出《琴操》。西周时期，伯奇因继母谗言而被父亲逐出家门，他感怀自己无罪却遭到不公平的待遇，伤心之余作了一曲《履霜操》，希望父亲听后能够明白自己。

塞翁失马[1]，臧谷亡羊[2]。

【注释】

①塞翁失马：典出《淮南子·人间训》。边塞地区的一个老翁丢失了骏马，在大家都认为是坏事的时候，老翁却认为可能是好事。不久后，丢失的马回来了，还带回一匹骏马。当人们认为是好事而前来道喜的时候，老人却认为可能是坏事。果然，老翁的儿子因为骑马把胳膊摔断了。面对邻居们的安慰，老翁又不认为完全是坏事。后来，因边疆战事，村子里所有的青壮年都被拉去当兵了，有很多人都没回来，只有老翁的儿子因为断了胳膊没去戍，因而保住了性命。

②臧谷亡羊：典出《庄子·骈拇》。臧与谷一起去放羊，最后羊丢了，而丢羊的时候臧在读书，谷在玩游戏。无论两人在做的事情是好是坏，但丢羊的结果是一样的。

寇公枯竹[1]，召伯甘棠[2]。

【注释】

①寇公枯竹：典出《宋史·寇准传》。寇准被贬后，在赴任途中信手剪下一段竹枝插在地上，扬言如果自己无错，竹子便会重生。最终，竹子不但重生，据说还形成了一片茂密的竹林。

②召伯甘棠：周武王的弟弟召公经常坐在一棵棠树下办公，因

此很受拥戴。他去世后，当地百姓写了一首《甘棠》的诗，并保留了那棵棠树。

匡衡凿壁[①]，孙敬悬梁[②]。

【注释】

①匡衡凿壁：典出《汉书·匡衡传》。西汉时期，匡衡小时候家里很穷，为了能在夜晚看书，就在自家与邻家的墙壁上凿了一个洞，借光读书。

②孙敬悬梁：典出《楚国先贤传》。汉代孙敬担心自己晚上看书时会睡着，就用绳子把自己的头发拴在房梁上，只要自己因困倦低头，就会被绳子拉住头发而惊醒。

衣芦闵损[①]，扇枕黄香[②]。

【注释】

①衣芦闵损：典出《孝子传》。孔子的弟子闵损的继母对年幼时的闵损很不好，用不保暖的芦花为闵损做冬衣。父亲发觉后要赶走继母，闵损却为继母求情，最终感动了继母。

②扇枕黄香：典出《后汉书·文苑传》，东汉人黄香对父亲十分孝顺，夏天时为父亲扇凉枕席，冬天用身体预先为父亲暖被褥。

婴扶赵武[①]，籍杀怀王[②]。

【注释】

①婴扶赵武：典出《史记·赵世家》。春秋时期，屠岸贾谋害赵氏一族，只有赵氏孤儿赵武被赵朔门客程婴用计策救出并养大成人，赵武成人后攻杀屠岸贾，为家族报仇。

②籍杀怀王：典出《史记·项羽本纪》。项梁反秦后找到楚怀王的孙子立为怀王，以此来号召天下英雄，师出有名。待秦朝灭亡之后，项羽（名籍）派人暗杀了怀王。

魏徵妩媚[1]，阮籍猖狂[2]。

【注释】

①魏徵妩媚：典出《旧唐书·魏徵传》。唐太宗时的大臣魏徵直言敢谏，但很符合唐太宗的心意。妩媚，此处为称人心意，让人称心如意的意思。

②阮籍猖狂：典出《魏氏春秋》。阮籍做事不受拘束，常驾车出行，走到无路可走的时候便放声大哭。

《雕龙》刘勰[1]，《愍骥》应玚[2]。

【注释】

①《雕龙》刘勰：典出《梁书·刘勰传》。刘勰写的《文心雕龙》，以中国古今的文体为论述对象，是中国第一部文学理论专著。

②《愍骥》应玚（yáng）：典出《三国志·魏书》。东汉文学家应玚长期不得志，作《愍骥赋》，借歌咏良马来悲叹自己的遭遇。

御车泰豆[1]，习射纪昌[2]。

【注释】

①御车泰豆：典出《列子·汤问》。泰豆以驾车能力很高闻名，造父向他请教驾车技术，泰豆就在路上栽满木桩，让木桩间的距离恰好能放下一只脚，在示范如何熟练驾车后，造父三天就学会了驾车的技术。

②习射纪昌：典出《列子·汤问》。纪昌向飞卫学习箭术，被要求首先练习不眨眼，之后还要将小的东西看大，最终练出了百步穿杨的本领。

异人彦博[1]，男子天祥[2]。

【注释】

①异人彦博：典出《苏文忠公文集·德威堂集》。北宋时，苏轼接待契丹使者，碰到文彦博，契丹使者惊叹于文彦博虽然年事已高，但依然健壮，苏轼更是坦陈文彦博处理政务的能力远超一般的

年轻人，因而文彦博被契丹使者称为“异人”。

②男子天祥：文天祥因在成为元朝俘虏后不肯投降而被杀，元世祖感慨：“文天祥真是男子汉，我朝将相恐无人能及，杀之可惜。”

忠贞古弼[1]，奇节任棠[2]。

【注释】

①忠贞古弼：典出《魏书·古弼传》。古弼以尽忠直言著称，有一次皇帝正在与人下棋，不听古弼的谏言，古弼情急之下将和皇帝下棋的人拉下座位，愤然批评此人影响国家社稷，让皇帝也感动于古弼的忠贞，最终听取了古弼的谏言。

②奇节任棠：典出《后汉书·庞参传》。东汉任棠以清水、薤（xiè）、自抱婴儿下跪三个元素，提点太守庞参要清廉、不畏豪强、抚恤孤儿。

何晏谈《易》[1]，郭象注《庄》[2]。

【注释】

①何晏谈《易》：典出《管辂（lù）别传》。三国时期，何晏精通《易经》，但仍对其中的九点不很明白，最后在管辂的剖析后终于完全通晓。

②郭象注《庄》：典出《世说新语·文学》。西晋文学家向秀去世时，他所注释的《庄子》还差《秋水》《至乐》两篇。后来，郭象补注了这两篇，并重新注释了《马蹄》，却整部《庄子》都说成是自己注释的，想把向秀的功劳据为己有。

卧游宗子[1]，坐隐王郎[2]。

【注释】

①卧游宗子：典出《宋书·隐逸传》。宗炳晚年因身患疾病不能出游，于是用绘画的形式将自己去过的地方全都画出来挂在家里的墙上，供自己卧床时观赏，称“卧游”。

②坐隐王郎：典出《世说新语·巧艺》。东晋时期，王坦之称下围棋为“坐隐”，因为坐着下棋的时候专心致志，思虑集中，就像隐居了一样。

盗酒毕卓①，割肉东方②。

【注释】

①盗酒毕卓：典出《晋书·毕卓传》。毕卓嗜酒如命，做官时曾在半夜三更时分因酒瘾难耐，到隔壁同事家里偷酒喝。

②割肉东方：典出《汉书·东方朔传》。汉武帝将祭祀所用的肉赏赐给大臣们，东方朔割掉一块就拿走了。后来，东方朔解释道：“没等陛下诏书是我无礼，但自己上去割肉是勇敢，割得不多是廉洁，回去给妻子是仁爱。”

李膺破柱①，卫瓘抚床②。

【注释】

①李膺破柱：典出《后汉书·党锢列传》。内侍张让的弟弟张朔非常贪婪，在大臣李膺发起对他的调查后，跑到京师张让的宅邸，躲在一根空心柱子里。李膺为了抓捕张朔，劈开了空心柱子，将张朔绳之以法。

②卫瓘抚床：典出《金楼子》。卫瓘陪晋武帝喝酒时，跪在御床前抚着御床大呼可惜，实际上是说太子愚蠢而无能。

营军细柳①，校猎长杨②。

【注释】

①营军细柳：典出《史记·绛侯周勃世家》。汉文帝时期遇匈奴入侵，派周亚夫和另外两名将领分别镇守细柳、霸上、棘门，汉文帝巡查，发现只有周亚夫镇守的细柳军纪严明。

②校猎长杨：典出《汉书·扬雄传》。汉成帝曾命令百姓捕捉野兽送到长杨校场，以满足自己打猎的欲望，这导致百姓连收庄稼的时间都没有了。扬雄因此写了一首《长杨赋》，对皇帝的行为进行讽谏。

忠武具奠[1]，德玉居丧[2]。

【注释】

①忠武具奠：典出《宋史·岳飞传》。岳飞少时向周同学习箭术，在周同过世后，每逢初一、十五，岳飞都会祭奠周同，并用周同送他的弓连射三箭。

②德玉居丧：典出《辍耕录》。元朝顾德玉将老师的遗体带回家入殓，并在第二年葬在自家的祖坟旁边，年年祭祀。

敖曹雄异[1]，元发疏狂[2]。

【注释】

①敖曹雄异：典出《北齐书·高昂传》。东魏人高昂（字敖曹）样貌雄奇特异，自幼不喜读书，只醉心于武艺弓马，被时人评价为“若非猛将，必成贼首”。

②元发疏狂：典出《宋史·滕元发传》。滕元发年轻时寄居在范仲淹家里，其人生性疏狂，经常喝得酩酊大醉后才回家，范仲淹对他很不满。于是，一天晚上，范仲淹在他屋里边等他边看《汉书》，想要教训一下滕元发，没想到却被醉酒而回的滕元发反问：“汉高祖是什么样的人？”因为汉高祖年轻时与滕元发是一样的，这让范仲淹无话可说。

寇却例簿[1]，吕置夹囊[2]。

【注释】

①寇却例簿：典出《东都事略·寇准传》。身为宰相的寇准在任用人才时不按例簿顺序来，他认为按例做事的都只能做小吏，只有能按情做事的才能做宰相。

②吕置夹囊：典出《黄氏日钞·本朝名臣言行录》。北宋时期，吕蒙正担任宰相，为了给国家储备人才，每次接见地方官都会打听各地的人才情况，然后记录在册。

彦升白简[①]，元曾青箱[②]。

【注释】

①彦升白简：典出《文选·奏弹曹景宗》。南朝时期，任昉（字彦升）在担任御史中丞的时候，每次弹劾官员都会以“臣谨奉白简（奏章）以闻”开头。

②元鲁青箱：典出《宋书·王准之传》。王准之（字元曾）家庭自曾祖时不以博学多识闻名，家族世代将熟知的江东旧事写下来，收藏在青色木箱中，代代相传，被称作“王氏青箱学”。

孔融了了[①]，黄宪汪汪[②]。

【注释】

①孔融了了：典出《世说新语·言语》。孔融为了能见李膺，就对看门人说自己和李膺有累世的交情，因为孔子与老子是亦师亦友的关系。陈韪（wěi）听说后笑孔融是“幼时了了（聪明），日后平平”，孔融回敬陈韪说：“可以想见，您小时候一定很聪明。”

②黄宪汪汪：典出《世说新语·德行》。郭泰评价黄宪气量不可估量，就像洋洋大海一样。

僧岩不测[①]，赵壹非常[②]。

【注释】

①僧岩不测：典出《南史·隐逸传》。赵僧岩为人不可捉摸，隐居时常带一个水壶在身边，突然有一天他告诉弟子自己当天要去世，留下水壶里的钱财为自己料理后事，当晚果然应验。

②赵壹非常：典出《后汉书·文苑传》。赵壹生性自恃才高，目中无人，但若论其才气，确实非常了得，所以才得到羊陟的举荐。

沈思好客[①]，颜驷为郎[②]。

【注释】

①沈思好客：典出《苕（tiáo）溪渔隐丛话》。北宋时期，沈思酿出了一种叫“十八仙”的美酒，常人饮三杯就醉了。后来来了一

个自称“回道人”的道士，结果喝了一天也没有喝醉。人们说两个“口”可以组成“回”，也可以组成“吕”，这个“回道人”可能正是吕洞宾。

②颜驷为郎：典出《汉武故事》。西汉时期，颜驷满头白发了还在做郎官（职位较小的官职），汉武帝见了很奇怪，经过询问才知道，颜驷年轻时侍奉文帝，但文帝喜文厌武，颜驷偏偏擅长武艺；中年时侍奉景帝，景帝喜欢长相俊美的人，颜驷相貌丑陋；年迈时侍奉武帝，而武帝却喜欢任用年轻人。一连三代都得不到提拔，所以只能继续做小小的郎官。

申屠松屋[1]，魏野草堂[2]。

【注释】

①申屠松屋：典出《高士传》。东汉末年，名士申屠蟠因为朝廷已无法挽救，所以拒绝朝廷征召，用松树造屋归隐。

②魏野草堂：典出《宋史·隐逸传》。北宋时期，真宗登山见一草屋，听闻是魏野的草堂，马上命人前去征召。魏野不愿入朝为官，听到消息后立刻抱着古琴逃跑了。

戴渊西洛[1]，祖逖南塘[2]。

【注释】

①戴渊西洛：典出《世说新语·自新》。东晋时期，陆机在回洛阳途中遇到戴渊的打劫，看出此人并非一般劫匪，细问之下，感动了戴渊，促使其弃恶从善，两人成为至交。

②祖逖（tì）南塘：典出《世说新语·任诞》。东晋初期，祖逖经常纵容部下到南塘劫掠，众多大臣大多知道他的行为，但都不加干涉。

倾城妲已[1]，嫁虏王嫱[2]。

【注释】

①倾城妲己：典出《国语·晋语》。据说商纣王的妃子妲己拥

有倾国倾城之貌，让纣王从此再无心于朝政，导致灭国。

②嫁虏王嫱（qiáng）：典出《西京杂记》。汉元帝靠画像选择妃子宠幸，王嫱（昭君）因不肯贿赂画师，所以被画得奇丑。汉匈和亲时，王昭君自愿前往，直到这时元帝才看到美丽的王昭君，内心充满悔意的元帝只能杀画师泄恨。

贵妃桃髻①，公主梅妆②。

【注释】

①贵妃桃髻（jì）：典出《开元天宝遗事》。唐玄宗曾在皇家园林中折下一枝桃花戴在杨贵妃的发髻上。

②公主梅妆：典出《杂五行书》。南朝宋武帝时期，寿阳公主躺在屋檐下休息的时候，突然有一片梅花落在额头上，让她的妆容显得更加美艳。当时的妇人纷纷效仿，称“寿阳妆”。

吉了思汉①，供奉忠唐②。

【注释】

①吉了思汉：典出《邵氏见闻录》。据说北宋时期，有个穷人养了一只秦吉了（鸟名），穷人想将它卖给胡人贵族，没想到秦吉了突然张口说话，说自己是汉地的鸟，宁死不去蛮夷之地，最后绝食而死。

②供奉忠唐：典出《幕府燕闲录》。唐昭宗时期，宫中有个耍猴人，拥有指挥猴子向百官行礼的本领，心中欢喜的昭宗赐给猴子官服，让它们也接受供奉。后来，朱温篡权称帝，让猴子拜他时，猴子坚决不行礼，甚至扑打朱温，最后被朱温下令全部杀死。供奉，唐朝时期对在宫中献艺的艺人的一种称谓。

卷　四

八　庚

萧收图籍[①]，孔惜繁缨[②]。

【注释】

①萧收图籍：典出《史记·萧相国世家》。刘邦攻入咸阳后，所有部将都在搜刮财物，只有萧何将官府的图籍收藏起来。

②孔惜繁缨：典出《左传·成公二年》。春秋时，卫国在齐卫交战中战败。仲叔于奚因救出卫国上卿孙桓子，在接受卫国封赏时，请求将繁缨（古时天子、诸侯所用之物）赐给自己。孔子听后叹息道：“繁缨是标示等级的东西，不能随便给人。”

卞庄刺虎[①]，李白骑鲸[②]。

【注释】

①卞庄刺虎：典出《史记·张仪列传》。春秋时，鲁国的勇士卞庄子要杀山上的两只老虎，有人告诉他：“两只老虎正在合吃一只牛，一会儿必将会打起来，等它们打得两败俱伤的时候再去，你就能成功了。”卞庄子照做，最后果然成功。

②李白骑鲸：杜甫曾写下“南寻禹穴见李白，道甫问讯今何如”的诗句，其中“南寻”一句又写作“若逢李白骑鲸鱼”，所以后人认为李白是骑鲸升仙了。

王戎支骨[①]，李密陈情[②]。

【注释】

①王戎支骨：典出《世说新语·德行》。西晋名士王戎与和峤

(qiáo)两家都有丧事在办，王戎没有照礼节的规定哭泣，结果哭得瘦成了皮包骨，而按照礼节进行的和峤却保存了元气。

②李密陈情：典出《华阳国志·后贤志》。晋武帝曾征召李密做官，但李密上《陈情表》请求奉养相依为命的祖母终老。

相如完璧①，廉颇负荆②。

【注释】

①相如完璧：典出《史记·廉颇蔺相如列传》。战国时，赵王得到了一块和氏璧，秦王听说后称要用十五座城池来换取赵王的和氏璧，蔺相如携玉访秦，看出秦王根本没有履行诺言的诚意，就派人偷偷地将和氏璧带回赵国，自己留下应对强秦。

②廉颇负荆：典出《史记·廉颇蔺相如列传》。赵国大将廉颇对蔺相如非常不满，为了不影响朝堂的团结，虽然屡受廉颇诘难，但蔺相如多次避让。后来，廉颇知道了蔺相如的真实想法，为自己的行为感到羞愧，于是主动背着荆杖向蔺相如谢罪。

从龙介子①，飞雁苏卿②。

【注释】

①从龙介子：典出《琴操》。春秋时，晋文公在成功当上国君之后，封赏功臣时唯独忘记了与自己共患难的介子推。于是，介子推与其母到绵山归隐。后晋文公知错，欲请其出山，还放火烧山，独留一面，想借此逼介子推出山，没想到介子推却甘愿被烧死在山中。

②飞雁苏卿：典出《汉书·苏武传》。汉武帝时，苏武（字子卿，又称苏卿）奉命出使匈奴，结果被扣留。汉朝多方索要，匈奴人都以没有见过苏武为由推脱。汉昭帝时，使者诈称收到苏武的飞雁传书，匈奴无法继续抵赖，只得将苏武等人放回。

忠臣洪皓①，义士田横②。

【注释】

①忠臣洪皓：典出《盘洲集·先君述》。宋代官员洪皓奉命出

使金朝，金朝逼他投降伪齐的刘豫，洪皓自称欲诛杀刘豫，何来投降刘豫的说法，宁死不降，被金人赞为“真忠臣”。

②义士田横：典出《史记·田儋（dān）列传》。刘邦即位后，曾与他对抗的田横逃到海岛上。汉高祖用地位和军队威逼利诱，田横只好带着两名门客前往洛阳，不过在即将到达洛阳时还是因为羞愤自杀，他的追随者们听到消息后也纷纷自杀。

李平鳞甲[①]，苟变干城[②]。

【注释】

①李平鳞甲：典出《三国志·蜀书》。三国时，诸葛亮率军攻打魏国，任命李平为负责运送粮草的督粮官，结果因运输不力，通知诸葛亮退兵，并不断推卸责任，被诸葛亮贬为庶民。诸葛亮说：“陈震曾告诉我，李平肚子里有鳞甲（形容人狡猾），我曾认为只要不让他的狡猾发生作用就好了，没想到他还会狡辩。”

②苟变干城：典出《孔丛子·居卫》。孔子的孙子孔伋向卫侯推荐军事才能优秀的苟变，卫侯听说苟变曾在收税时吃了百姓两个鸡蛋，决定不用他。孔伋认为挑选人才时要注重他的优点，不能因为一点小过错放弃一个军事人才。最后，卫侯听从了孔伋的建议。

景文饮鸩[①]，茅焦伏烹[②]。

【注释】

①景文饮鸩：典出《宋书·王景文》。南朝宋明帝担心功名甚高的大臣王彧（字景文）无法担当辅佐幼主的重任，下令将其赐死。诏书送到时，王彧正与客人对弈，对弈之后才饮下毒酒死去了。

②茅焦伏烹：典出《说苑·正谏》。秦王嬴政因为母亲与人通奸，下令将其迁到雍地，并接连处死了劝谏的二十七人。茅焦冒死劝谏，之后等待被处死。没想到，嬴政反而听从了他的谏言，并将其封为上卿。

许丞耳重[①]，丁掾目盲[②]。

【注释】

①许丞耳重（zhònɡ）：典出《汉书·黄霸传》。黄霸做太守时，有人劝说他罢免一个叫许丞的年老耳聋的人，结果黄霸反而认为这个人十分清廉，虽然耳朵不好，不过不是大问题。

②丁掾目盲：典出《三国志·魏书》。曹操打算将丁仪招为女婿，但曹丕认为丁仪瞎了一只眼，妹妹不会同意。后来，曹操与丁仪交谈了几次，认为即便是丁仪两只眼都瞎了，也应该将女儿嫁给他。

佣书德润[①]，卖卜君平[②]。

【注释】

①佣书德润：典出《三国志·吴书》。三国时吴国大臣阚（kàn）泽年轻的时候，尽管家贫但好读书，于是去替人抄书。他认为，抄一遍书便相当于读了一遍书。

②卖卜君平：典出《汉书·王贡两龚鲍传序》。西汉隐士严遵（字君平）靠每日给人占卜赚来的钱养活自己，够自己生活之用便可，余下的时间便在家研读《老子》《易经》。

马当王勃[①]，牛诸袁宏[②]。

【注释】

①马当王勃：典出《类说》。王勃在探望父亲途中路过马当山，梦到水神对他说“祝你一路顺风”，于是刮了一夜的风，帮着王勃的船乘风漂行。

②牛诸袁宏：典出《世说新语·文学》。东晋人袁宏年轻时非常贫穷，靠给人运货为生。一次在运货途经牛诸时，袁宏吟诵了自己的诗句，被名士谢尚听见，受邀到谢尚的船上闲谈，袁宏从此名声大噪。

谈天邹衍[1]，稽古桓荣[2]。

【注释】

①谈天邹衍：典出《史记·孟子荀卿列传》。战国末期齐国人邹衍见多识广，擅长辩论，被称为“谈天衍”。

②稽古桓荣：典出《后汉书·桓荣传》。光武帝任命桓荣为太子的老师，为太子讲解《尚书》，在召集儒生聚会时，桓荣称自己所受到的一切恩遇，全都是拜《尚书》所赐。

岐曾贩饼[1]，平得分羹[2]。

【注释】

①岐曾贩饼：典出《三辅决录》。东汉时，因得罪高官而不得不隐姓埋名的赵岐，以在街头卖饼为生。后来，名士孙嵩见他非同常人，便将他接入家中。

②平得分羹：典出《明皇杂录》。唐玄宗时，宰相李林甫的女婿郑平的头发胡须都是白的，李林甫将皇上赏赐的甘露羹分给女婿吃，吃完过夜后，郑平的头发胡须都由白变黑了。

卧床逸少[1]，升座延明[2]。

【注释】

①卧床逸少：典出《世说新语·雅量》。郗鉴派门人到王家选女婿，只有王羲之（字逸之）一人倒在东边的床上，袒露肚子吃芝麻饼。于是，郗鉴便认为王羲之不是凡人，选他做了自己的女婿。

②升座延明：典出《魏书·刘昞（bǐng）传》。郭瑀准备在自己的学生中选一个人做女婿，于是设置了一个特别的位置，称谁坐了那个位置，谁便可做自己的女婿。刘昞（字延明）听完抢先一步坐在了那个位置上，郭瑀便将女儿嫁给了他。

王勃心织[1]，贾逵舌耕[2]。

【注释】

①王勃心织：典出《翰林志》。唐朝诗人王勃所到之处，都会

有很多人慕名求取文章。于是，便有人说王勃是“心织笔耕”，也就是靠写文章来赚钱的人。

②贾逵舌耕：典出《拾遗记》。靠教书为业的贾逵，自家的仓库里堆满了作为学费送来的粟米。

悬河郭子[1]，缓颊郦生[2]。

【注释】

①悬河郭子：典出《世说新语·赏誉》。西晋著名文学家郭象说话很快，如同悬河泻水，能够滔滔不绝地讲很久。

②缓颊郦生：典出《史记·魏豹彭越列传》。刘邦听说魏豹要造反，让郦食其去劝他归附。在郦食其无功而返后，刘邦派韩信率兵将魏豹擒获。

书成凤尾[1]，画点龙睛[2]。

【注释】

①书成凤尾：典出《南齐书·高帝诸子传》。萧锋五岁时，他的父亲萧道成就让他学习凤尾诺（南朝的一种字体），他很快就学会了。

②画点龙睛：典出《宣和画谱》。南朝梁代画家张僧繇曾在庙墙上画了两条龙，却迟迟不肯点上眼睛，说是怕画上眼睛，龙便会飞走。众人不信张僧繇的说法，坚持让他画上眼睛，果然不久后就出现了电闪雷鸣，墙上的龙也飞走了。

功臣图阁[1]，学士登瀛[2]。

【注释】

①功臣图阁：典出《世说新语》。贞观年间，唐太宗命人为二十四位开国功臣画像，并陈列在皇宫的凌烟阁中。

②学士登瀛：典出《旧唐书·褚亮传》。隋朝末年，秦王李世民曾选拔杜如晦等十八个才能之士做文学馆学士，被时人称为“十八学士登瀛洲”。

卢携貌丑[1]，卫玠神清[2]。

【注释】

①卢携貌丑：典出《北梦琐言》。唐代大臣卢携将自己的文章送给韦家，希望得到推荐，韦家子弟嫌他貌丑而嘲笑他，只有韦宙认为他将来一定通达，后来果然应验。

②卫玠（jiè）神清：典出《江左名士传》。东晋时，名士刘惔（dàn）评论卫玠是“心神清朗”。

非熊再世[1]，圆泽三生[2]。

【注释】

①非熊再世：典出《酉阳杂俎》。唐代的顾况晚年时遭遇幼子夭折的变故，后来得到了阎王的同情，准许他的儿子再次投生到顾家，这便是顾非熊。据说，顾非熊两岁时便能讲述自己前世死后给父亲造成的伤痛。

②圆泽三生：典出《甘泽谣》。唐代诗人李源与好友圆泽在出游途中，看到一个妇人在提水，圆泽说这个妇人已经怀孕三年，就等自己投胎，并叮嘱好友在婴儿出生三天后去看，如果婴儿对他笑，那便证明就是圆泽，并约定十三年后在杭州天竺寺相见。后来，果然一一应了圆泽所言。

安期东渡[1]，潘岳《西征》[2]。

【注释】

①安期东渡：典出《晋书·王承传》。晋代官员王承（字安期）东渡长江，当时的道路常因战乱阻断，所以大家都很担心，只有王承一人表现淡然。后来到路况基本安全的时候，王承才真的愁上心头，是因为对国家前途感到担心。

②潘岳西征：西晋的潘岳到自己做官的地方要一直往西走，于是根据这一路往西途中的见闻写了《西征赋》，并含讽谏之意。

志和耽钓[①]，宗仪辍耕[②]。

【注释】

①志和耽钓：典出《颜鲁公文集·浪迹先生玄真张志和碑铭》。唐朝人张志和在父母过世后便远离官场，每天用钓鱼来陶冶情操，所以从不用鱼饵。

②宗仪辍耕：典出《广舆记》。元代人陶宗仪爱好写作，即使耕田时也带着笔砚，想到什么就写下来，扔进田边树下的一个瓮中，后来将这些纸条整理成《南村辍耕录》。

卫鞅行诈[①]，羊祜推诚[②]。

【注释】

①卫鞅行诈：典出《史记·商君列传》。商鞅带兵攻打魏国时，魏国派将军公子卬抵御。商鞅与公子卬是旧识，便使诈让公子卬赴宴，在酒宴上将其俘虏，致使魏军大败而归。

②羊祜推诚：典出《晋书·羊祜传》。西晋大臣羊祜在与吴国大将陆抗对峙时，不以偷袭取胜，如果羊祜的兵在吴国割了谷子，便会按价赔偿，如果捕到了被吴国人猎伤的猎物，也会将其送还吴国。因为羊祜这种坚持诚信的态度，所以即便羊祜是敌国的将领，也依然受到了吴国人的尊重。

林宗倾粥[①]，文季争羹[②]。

【注释】

①林宗倾粥：典出《后汉记·孝灵皇帝纪上》。东汉人魏昭主动要求为学者郭泰（字林宗）服务，但郭泰并不知足，让魏昭半夜起来为他做粥，做好了又挑毛病，但魏昭没有丝毫不满的情绪。

②文季争羹：典出《南史·崔祖思传》。南朝齐高帝与大臣一起宴饮过程中，有几位大臣对羹脍这道菜进行了辩论。最终，主张这道菜源自南方吴地，并援引陆机言论的沈文季，受到了齐高帝的赞赏。

茂贞苛税①，阳城缓征②。

【注释】

①茂贞苛税：典出《新五代史·李茂贞传》。唐朝末年，凤翔节度使李茂贞向民间征收灯油钱，并禁止百姓将松柴卖入城中，是担心百姓点松柴照明，影响征税。

②阳城缓征：典出《旧唐书·隐逸传》。唐代人阳城在担任刺史时，因爱民而允许百姓延迟交税，备受百姓爱戴。

北山学士①，南郭先生②。

【注释】

①北山学士：典出《八闽通志》。宋朝人徐大正在北山下建造了一所房屋，挂着由秦观写的记、苏轼题的诗，因此时人都称徐大正为“北山居士”。

②南郭先生：典出《舆地纪胜·滁州》。宋朝人雍存在滁州（今安徽滁州）隐居，以诗文自娱，号称“南郭先生”。

文人鹏举①，名士道衡②。

【注释】

①文人鹏举：典出《魏书·温子升传》。北魏时，文学家温子升（字鹏举）的文章风格清婉，被元晖业赞为超越颜延之、谢灵运、沈约、任昉等人的诗文奇才。

②名士道衡：典出《隋唐嘉话》。隋代诗人薛道衡曾写过一首诗《人日》：“入春才七日，离家已二年。人归落雁后，思发在花前。”在写这首诗前两句时，旁观的人嘲讽他不会作诗，但当他写出后两句的时候，对方马上称赞他有才华。

灌园陈定①，为圃苏卿②。

【注释】

①灌园陈定：典出《列女传·仁智传》。楚王用重礼请陈定担任宰相，陈定认为做了宰相就会有锦食车马，但他的妻子认为这样

会伤害自己，于是夫妻二人从住处逃走，靠给人浇园为生。

②为圃苏卿：典出《游宦纪闻》。南宋人苏云卿过隐居生活的时候，靠开辟菜园种菜卖菜维持生活。钱财富裕的时候，就拿来接济那些需要帮助的人。

融赋沧海①，祖咏彭城②。

【注释】

①融赋沧海：典出《南齐书·张融传》。南朝齐国的文人张融写了一篇《海赋》并请徐凯之鉴定，徐凯之认为这篇文章很妙，只是没有提到盐。于是，张融当场写了四句添上。

②祖咏彭城：典出《魏书·祖莹传》。南北朝时，彭城王元勰在听大臣王肃吟诵《悲平城》的时候非常喜欢，请王肃再次吟诵《悲平城》的时候，错将“平城”说成了“彭城”，遭到王肃嘲笑。祖莹为元勰辩解，现场作《悲彭城》。

温公万卷①，沈约四声②。

【注释】

①温公万卷：典出《梁溪漫志》。司马光（死后被追封为“温国公”，又称“司马温公”）家中藏书万卷，虽然频繁翻阅，但仍然是崭新的样子。

②沈约四声：典出《梁书·沈约传》。南朝文学家沈约撰写《四声谱》时，认为自己总结出了前代词作家没有得到的要义。

许询胜具①，谢客游情②。

【注释】

①许询胜具：典出《世说新语·栖逸》。东晋隐士许询喜欢到处游玩，而且身体健康。因此，当时的人认为许询不仅志趣高妙，而且具有实现这些志趣的条件。

②谢客游情：典出《宋书·谢灵运传》。南朝诗人谢灵运（乳名

客儿，故称“谢客”）喜欢到山中游玩，而且必定会将山中的景致都走遍。

不齐宰单[①]，子推相荆[②]。

【注释】

①不齐宰单：典出《吕氏春秋·开春论》。春秋时鲁国人宓不齐在执政单父（今山东单县）的时候，每天都按照当地五名贤人的建议行事，将政务处理得很好。

②子推相荆：典出《说苑·尊贤》。春秋时，介子推（并非被晋文公烧死的介子推）十五岁便当上了楚国的宰相。孔子听说后，派人去观察他，发现有二十五位老人在为介子推出谋划策，另有二十五位青年才俊在帮助介子推做事。

仲淹复姓[①]，潘阆藏名[②]。

【注释】

①仲淹复姓：典出《耆（qí）旧续闻》。北宋大臣范仲淹幼年丧父，因母亲改嫁而改姓朱，在考取进士，获得朝廷批准后，又改回原姓。

②潘阆（làng）藏名：典出《中山诗话》。北宋初年，潘阆因被认为是卢多逊的同党而获罪，被迫藏到山谷寺中，并在钟楼上题了一首诗，被地方官认出，等到要捕捉他的时候，才发现他已经逃走了。

烹茶秀实[①]，漉酒渊明[②]。

【注释】

①烹茶秀实：典出《提要录》。五代后期官员陶谷（字秀实）将大将党进家的奴婢买到自己家中。冬天的时候，为了炫耀自己的高雅情趣，陶谷让奴婢收集雪来煮茶喝。

②漉酒渊明：典出《宋书·隐逸传》。陶渊明在邻居家喝酒时，发现酒中有渣滓，便将自己的头巾摘下来过滤酒，然后戴好头巾，继续喝。

善酿白堕[1]，纵饮公荣[2]。

【注释】

①善酿白堕：典出《洛阳伽（qié）蓝记》。北魏人刘白堕酿造出了一种醉后一个月都无法苏醒的酒，朝廷显贵争相购买。

②纵饮公荣：典出《世说新语·任诞》。刘昶（chǎng）（字公荣）好喝酒，且与每个阶层的人都能一起喝酒，因此惹来很多争议。刘昶认为，不管是哪个阶层的人，自己都不能不和他们喝酒。

仪狄造酒[1]，德裕调羹[2]。

【注释】

①仪狄造酒：典出《战国策·魏策》。上古时，仪狄将酒酿造出来并献给大禹，大禹认为后世人会因为酒亡国，因此疏远了仪狄，且不再饮酒。

②德裕调羹：典出《独异志》。唐代大臣李德裕对饮食十分讲究，他所吃的食物中有一种羹就是用各种珍贵材料熬成的，因此价格非常昂贵。

印屏王氏[1]，前席贾生[2]。

【注释】

①印屏王氏：典出《开天传信记》。唐玄宗的妃子王氏多次梦到有人叫她去饮酒，唐玄宗认为这是术士的法术，于是让她如果再出现这种情况就做个标记。当天晚上，王氏又被召去，便用手蘸墨在屏风上留了一个手印。玄宗根据手印查到了一个藏在东明观作法的道士，不过道士已经跑了。

②前席贾生：典出《史记·屈原贾生列传》。西汉贾谊在给文帝讲述鬼神的来龙去脉的时候，文帝因为听得入神，竟然不自觉地把席子向前移动了很大一段。

九　青

经传御史[①]，偈赠提刑[②]。

【注释】

①经传御史：《龙文鞭影》注者从同乡那里看到一个版本《三字经》的刻板上有明代人梁应生的作品，还看到了御史傅光宅作的序，据此推测《三字经》的作者是明代人。经，指《三字经》。

②偈（jì）赠提刑：典出《五灯会元·白云端禅师法嗣》。郭祥正做提刑的时候曾经去拜访白云端禅师，获得了禅师赠送的一个偈。偈，佛经的唱词。

士安正字[①]，次仲谈经[②]。

【注释】

①士安正字：典出《明皇杂录》。唐朝时期，刘晏（字士安）八岁时受唐玄宗赏识，得到太子正字的官职，掌管校勘典籍的事务。

②次仲谈经：典出《后汉书·儒林转》。汉武帝时期，戴凭（字次仲）在讲经比赛中，因驳倒人数众多，最终得了五十多张坐席。当时，汉武帝规定，辩论中输了的一方要把席子给对方。

咸遵祖腊[①]，宽识天星[②]。

【注释】

①咸遵祖腊：典出《后汉书·陈宠传》。王莽登基后，将从西汉时期就一直沿用的腊日祭祀风俗改在了别的时候。不过，大臣陈咸依然遵循旧风俗，在腊日祭祀。

②宽识天星：典出《益部耆旧传》。汉武帝去祭祀的路上，在渭水河边看到一个在水中沐浴的女子。汉武帝问大臣张宽女子的

来历，得知这是上天掌管祭祀的星宿，如果没有在祭祀前做好斋戒，她就会出现。

景焕垂戒[1]，班固勒铭[2]。

【注释】

①景焕垂戒：典出《容斋续笔》。北宋时期，大臣景焕将孟昶（chǎng）的告官吏文收录在自己的著作《野人闲话》中，宋太宗从中抄取四句改为《戒石铭》，刻在石碑上警戒地方官。

②班固勒铭：典出《后汉书·窦宪传》。东汉时期，大将窦宪攻破匈奴后，让班固在燕然山上立了一块歌颂功名的石刻。

能诗杜甫[1]，嗜酒刘伶[2]。

【注释】

①能诗杜甫：典出《旧唐书·文苑传下》。元稹认为杜甫不仅擅长作诗，而且能综合各家的长处进行创作。

②嗜酒刘伶：典出《世说新语·任诞》。刘伶嗜酒如命，即使因饮酒生病也不肯戒酒，照样喝酒吃肉，酩酊大醉。

张绰剪蝶[1]，车胤囊萤[2]。

【注释】

①张绰剪蝶：典出《桂苑丛谈》。唐朝人张绰精通道术，他对着剪出来的纸蝴蝶吹一口气，纸蝴蝶就会变成真的蝴蝶。

②车胤囊萤：典出《续晋阳秋》。东晋大臣车胤小时候非常好学，但家里贫穷，买不起灯油，他就在夏天时将抓到的萤火虫放在口袋里，借萤火虫发出的光亮看书。

鸜鹆学语[1]，鹦鹉诵经[2]。

【注释】

①鸜鹆（qú yù）学语：典出《幽明录》。东晋时期，大将桓豁的属下养的一只鸜鹆（八哥）会说话，每当宴饮时，桓豁就让这只鸜

鸽学客人说话，学得惟妙惟肖。

②鹦鹉诵经：典出《法苑珠林》。有人给僧人送了一只鹦鹉，僧人便教它诵读经书。学的时间久了，鹦鹉也像有了佛性，有时会一动不动地站着，也不出声。别人问它的时候，它就用佛经中的话回答。

十 蒸

公远玩月[1]，法喜观灯[2]。

【注释】

①公远玩月：典出《唐逸史》。唐朝时期，仙人罗公远在陪唐玄宗赏月的时候，随手将扔出的手杖化作银桥，然后陪着唐玄宗走到桥上，看到了月宫，还听到了《霓裳羽衣曲》。

②法喜观灯：典出《玄怪录》。元宵节时，仙人叶法喜幻化出一道彩虹桥，让唐玄宗从桥上走过，不一会儿便到了景色最美的广陵，看尽了广陵的花灯盛貌。

燕投张说[1]，凤集徐陵[2]。

【注释】

①燕投张说：典出《开元天宝遗事》。唐朝时期，据传大臣张说是在母亲做梦时梦到一只玉燕飞入怀里后降生的。

②凤集徐陵：典出《陈书》。徐陵的母亲在生下徐陵之前，曾梦到五色云化成的凤凰停在自己的左肩上。

献之书练[1]，夏竦题绫[2]。

【注释】

①献之书练：典出《宋书·羊欣传》。东晋时期，书法家王献之在羊欣的练裙（白绢做的衣裙）上写了几幅字，让羊欣临摹，使羊欣的书法大有长进。

②夏竦（sǒng）题绫：典出《青箱杂记》。北宋大臣夏竦为诗人杨徽之在绫（一种非常薄的丝织品）上题写了一首诗，被杨徽之赞为有将相之才。

安石执拗[1]，味道模棱[2]。

【注释】

①安石执拗：典出《东都事略·司马光传》。北宋大臣司马光在与宋神宗谈话时提到王安石，评价他是一个不明事理且性格执拗的人。

②味道模棱：典出《旧唐书·苏味道传》。唐朝宰相苏味道不管对什么事情都是模棱两可的态度，不会做出清晰的判断，被时人称作“模棱手”。

韩仇良复[1]，汉纪备存[2]。

【注释】

①韩仇良复：典出《史记·留侯世家》。西汉开国功臣张良五世都是韩国的卿相，后来韩国被秦国所灭，张良算是与秦朝建立了“国仇”。后来张良归附刘邦，为他出谋划策推翻了秦朝，也算是为韩国报了仇。

②汉纪备存：典出《三国志·蜀书》。三国时期，刘备自称是汉景帝之子中山靖王刘胜的后裔，并沿用汉为国号，算是继承了汉室的基业。

存鲁端木[1]，救赵信陵[2]。

【注释】

①存鲁端木：典出《史记·仲尼弟子列传》。为了使鲁国免受齐国的侵害，孔子派弟子端木赐前去游说各国，最后挑起了齐、吴、越、晋四国之间的战争，而使鲁国免于灭亡。

②救赵信陵：典出《史记·魏公子列传》。战国时期，魏国公子信陵君为了救被秦国围困的赵国，偷了魏王的兵符，带兵解除了赵国的祸患。

邵雍识乱[①]，陵母知兴[②]。

【注释】

①邵雍识乱：典出《三朝名臣言行录》。北宋时期，邵雍在洛阳听到杜鹃的叫声，便猜出国家要发生动荡了。果然，宋神宗任用王安石主持变法，让大宋王朝内部产生了剧烈的争斗。

②陵母知兴：典出《史记·陈丞相世家》。项羽在王陵投靠刘邦后，抓住了王陵的母亲，想以此要挟王陵归降自己。王陵派使者到楚军军营，王陵的母亲要使者告诉王陵好好服侍刘邦，然后便自杀了。

十一　尤

琴高赤鲤[①]，李耳青牛[②]。

【注释】

①琴高赤鲤：典出《列仙传》。据传仙人琴高到涿水中寻取龙子，不久后便乘坐着一条红鲤鱼浮出水面。

②李耳青牛：典出《列仙传》。据传李耳（老子）因周朝已到了无可挽救的地步，便骑着青牛云游四方去了，但没有人知道他到底去了哪里。

明皇羯鼓[①]，炀帝龙舟[②]。

【注释】

①明皇羯鼓：典出《羯鼓录》。唐明皇（玄宗）喜欢羯鼓这种乐器。传说，他曾因弹琴的人弹奏得不好听而下令停止弹奏，并用羯鼓来冲抵不好的琴声。

②炀帝龙舟：典出《隋书·炀帝纪》。隋炀帝在大运河挖成后，曾数次乘坐龙舟游幸江南，随行的船队有二百里长。

羲叔正夏[①]，宋玉悲秋[②]。

【注释】

①羲叔正夏：典出《尚书·尧典》。尧帝曾让制定历法的羲叔到交趾之地（今属越南）居住，并掌管夏令。

②宋玉悲秋：典出《九辩》。宋玉写了《九辩》，以表示对屈原遭到流放的悲愤之情。所以，《九辩》第一句就是："悲哉秋之为气。"

才压元白[①]，气吞曹刘[②]。

【注释】

①才压元白：典出《唐摭言》。唐朝时期，在极嗣复的家宴上杨汝士作的诗让元稹和白居易都自叹不如，杨汝士便以此说自己的才气压过了元白二人。

②气吞曹刘：典出《旧唐书·文苑传下》。元稹评价杜甫的诗在内容上超过了苏味道和李峤，在气势上则超越了曹植和刘桢。

信擒梦泽[①]，翻徙交州[②]。

【注释】

①信擒梦泽：典出《史记·淮阴侯列传》。刘邦建立汉朝之后，楚王韩信被人诬为谋反。为了抓韩信，刘邦谎称要到云梦泽游玩，在韩信前去接驾的时候将其擒获。

②翻徙交州：典出《三国志·吴书》。三国时期，吴国大臣虞翻因为讲话直率，敢于直接指出孙权的错误，被孙权贬到交州。后来孙权犯错，才又记起虞翻在身边的好处。

曹参辅汉[①]，周勃安刘[②]。

【注释】

①曹参辅汉：典出《史记·曹相国世家》。西汉时期，大臣曹参接替萧何担任西汉宰相，仍然沿用萧何在任时定下的规章制度。

②周勃安刘：典出《史记·绛侯周勃世家》。吕雉死后，执掌汉朝大权的吕姓子弟意图谋反，周勃带军平反，使得汉朝政权转危为安。

太初日月[①]，季野春秋[②]。

【注释】

①太初日月：典出《世说新语·容止》。魏国大臣夏侯玄（字太初）光彩照人，被人形容就像怀中揣着日月一般。

②季野春秋：典出《世说新语·赏誉》。褚裒（póu）（字季野）心里自有分寸，虽然对人对事早已褒贬分明，表面上却不动声色。

公超成市[①]，长孺为楼[②]。

【注释】

①公超成市：典出《后汉书·张楷传》。东汉时期，张楷（字公超）精通经史，慕名求教的人络绎不绝。尽管他为此数次搬家，往偏僻处躲避，但不管他搬到哪里，求学的人都会迅速堵在他家门口，在他的住处周围形成热闹的集市。

②长孺为楼：典出《苏魏公集·太子少傅致仕赠太子太保孙公墓志铭》。唐朝时期，孙长孺出身于书香门第，喜好收藏书籍，还为此建造了藏书楼，所以被时人称为“书楼孙氏”。

楚丘始壮[①]，田豫乞休[②]。

【注释】

①楚丘始壮：典出《韩诗外传》。战国时期，楚丘先生拜见孟尝君，认为自己在体力上确属老年，但在出谋划策上，则还是处于壮年。

②田豫乞休：典出《三国志·魏书》。三国时期，魏国大臣田豫请求退休，但司马懿不允许，他认为田豫的身体状况还很不错。但田豫认为，如果年过七十还不退休，就应该视为犯罪。

向长损益[①]，韩愈斗牛[②]。

【注释】

①向长损益：典出《高士传》。隐士向长阅读《损》《益》两卦后感叹生与死的区别，所以在将儿女婚事处理妥当后，就与朋友一起游山玩水去了，再也没回来。

②韩愈斗牛：典出《三星行》。韩愈出生的时候，月亮正好位于斗宿的位置上，斗宿前是牛宿，之后是箕宿。

琎除酿部[①]，玄拜隐侯[②]。

【注释】

①琎（jìn）除酿部：典出《云仙杂记》。唐玄宗的侄子、汝阳王李琎不仅喜欢喝酒，还曾自封“酿王兼曲部尚书”的头衔。曲，酿酒的曲子。

②玄拜隐侯：典出《侯山记》。汉景帝时期，王玄在山中隐居并拒绝汉景帝出山做官的邀请。于是，汉景帝便以山封王玄为侯，后来这座山便改称为“侯山”。

公孙东阁[①]，庞统南州[②]。

【注释】

①公孙东阁：典出《史记·平津侯主父列传》。西汉时期，丞相公孙弘将丞相府的东阁开辟为招待贤客的地方。

②庞统南州：典出《三国志·蜀书》。三国时期，司马徽将蜀国谋士庞统称为“南州士之冠冕”。

袁耽掷帽[①]，仁杰携裘[②]。

【注释】

①袁耽掷帽：典出《世说新语·任诞》。东晋时期，大臣袁耽为帮大将桓温挽回损失，还在服丧期的他换掉丧服后就去了赌场，很快就为桓温赢了上百万钱币，兴奋之余还把藏在怀里的丧服帽子掏出来，扔在了地上。

②仁杰携裘：典出《集异记》。唐朝时期，武则天要狄仁杰和张昌宗赌博，赌注就是武则天本要赏赐给张昌宗的集翠裘。结果，张昌宗连连失败，把集翠裘输给了狄仁杰。

子将月旦[①]，安国阳秋[②]。

【注释】

①子将月旦：典出《后汉书·许劭传》。东汉末期，许劭（字子将）喜欢对同乡的人做评价，并且每月都会重新评价一次，久而久

之他的家乡竟然形成了“月旦评”的习俗。

②安国阳秋：典出《晋书·孙盛传》。东晋时期，孙盛（字安国）写出了《晋阳秋》一书，记载了桓温北伐失败的故事。后来，在桓温的威胁下，孙盛的儿子私下做了修改。

德舆西掖[①]，庾亮南楼[②]。

【注释】

①德舆西掖：典出《旧唐书·权德舆传》。唐德宗时期，大臣权德舆曾在中书省（唐代中书省位于宫城的西面，所以被称为“西掖”，是当时的决策机构）任职八年。

②庾亮南楼：典出《世说新语·容止》。东晋时期，殷浩在秋夜登南楼吟诗，巧遇上司庾亮带领随从经过，与颇有兴致的庾亮一起闲谈到天亮。

梁吟傀儡[①]，庄梦髑髅[②]。

【注释】

①梁吟傀儡：典出《傀儡吟》。唐朝时期，梁锽作了一首《傀儡吟》，说人们摆布玩弄的傀儡（玩偶）须臾之间便沉寂无事，就像人做了个梦一样。

②庄梦髑髅（dú lóu）：典出《庄子·至乐》。战国时期，庄子在路上看到了一个死人的头骨，便把头骨当枕头用。后来，庄子梦到自己和头骨说话。髑髅，死人的头骨。

孟称清发[①]，殷号风流[②]。

【注释】

①孟称清发：典出《唐诗纪事》。唐朝诗人孟浩然为人清高，写出来的诗句清新雅致，被王士源赞为“清明焕发”，就像他的名字一样。

②殷号风流：典出《晋书·殷浩传》。东晋时期，大臣殷浩风采过人，拥有高妙的见识，被顾悦之赞为超越了当世人。

见讥子敬[①]，犯忌杨修[②]。

【注释】

①见讥子敬：典出《世说新语·方正》。东晋书法家王献之（字子敬）小时候看父亲的门生们赌博，评论赌局结果时，被其中一个门生讥笑为："小孩子看事，无异于'管中窥豹'。"

②犯忌杨修：典出《后汉书·杨修传》。东汉杨修因为总能猜中曹操的心思而令曹操忌惮，最终曹操借口"鸡肋事件"将杨修杀掉了。

荀息累卵[①]，王基载舟[②]。

【注释】

①荀息累卵：典出《说苑》。春秋时期，晋灵公用三年时间都没建成九层台，于是大夫荀息进谏称自己可以叠起十二个棋子，在棋子上还能加九个鸡蛋。晋灵公说这样太危险了，荀息则借机指出修筑九层台更危险。晋灵公于是立即下令停工。

②王基载舟：典出《三国志·魏书》。三国时期，魏国大臣王基因魏文帝常年大兴土木，所以用"水能够载舟，也能够将舟打翻"提醒魏文帝要爱惜民力。

沙鸥可狎[①]，蕉鹿难求[②]。

【注释】

①沙鸥可狎（xiá）：典出《列子·黄帝》。一个在海边住着的人，每天都会和沙鸥一起玩。后来，这个人的父亲要他捉一只回来，结果海鸥再也不肯落下来了。狎，亲近而不庄重的样子。

②蕉鹿难求：典出《列子·周穆王》。一个郑国砍柴人打死了一头鹿，因为担心被人看到，便将鹿藏在沟里，还用柴草盖住，再去寻找时却忘记了地点。后来，有人听说此事而去寻找，结果找到了鹿并带回了家。砍柴人因此状告找到鹿的人，最后被判定与找到鹿的人一人一半。蕉鹿，用柴草盖住鹿。

黄联池上①，杨咏楼头②。

【注释】

①黄联池上：典出《李康靖闻见录》。北宋大臣黄鉴七岁还不会说话，一次和祖父在池边玩耍，却随口对上了祖父说出的上联。

②杨咏楼头：典出《古今诗话》。北宋文学家杨亿幼时不会说话，在一次与家人一起登高楼时，不小心碰到了头，才开始张嘴说话，没想到出口成章，这就是著名的《夜宿山寺》。

曹兵迅速①，李使迟留②。

【注释】

①曹兵迅速：典出《三国志·蜀书》。曹操为了抢占江陵地区的军用物资，亲自率领三千多骑兵，在一天一夜的时间里行进了三百多里路，终于在长坂坡击溃刘备军队，占领了江陵。

②李使迟留：典出《后汉书·方术传》。担任汉中太守郡吏的李郃知道大将军窦宪要倒台了，所以在代替太守送礼给窦宪的路上故意拖延，走到半路的时候果然听到了窦宪出事的消息，汉中太守因此免遭牵连。

孔明流马①，田单火牛②。

【注释】

①孔明流马：典出《三国志·蜀书》。三国时期，诸葛亮（字孔明）发明了一种叫木牛流马的运输工具。

②田单火牛：典出《史记·田单列传》。燕国攻击齐国时，即墨守将田单集合了一千多头牛，在牛头上绑好尖刀，在牛尾上系上燃烧的芦苇，以此冲击燕国军队，最终击败了燕军。

五侯奇膳①，九婢珍馐②。

【注释】

①五侯奇膳：典出《西京杂记》。汉元帝皇后王政君的五个弟弟同日封侯，被称为“五侯”。五侯关系不睦，却都喜欢一个叫楼护

的宾客，争相给楼护送食物。楼护将这些食物拌在一起，称为“五侯鲭”。

②九婢珍馐（xiū）：典出《清异录》。唐朝大臣段文昌的府上有一个擅长烹饪的婢女，前后向她学艺的一百多人中，只有九个婢女学到了她的手艺。

光安耕钓[1]，方慕巢由[2]。

【注释】

①光安耕钓：典出《后汉书·逸民传》。光武帝登基后，派人请老朋友严光出来做官，严光前后推辞了三次，最后不得不当面向刘秀请辞，表示只想在乡野种地钓鱼。

②方慕巢由：典出《汉书·王贡两龚鲍传》。王莽登基之后，薛方不愿意做官，而愿意做巢父、许由那样的隐士，所以夸赞王莽是尧舜那样德高望重的人。内心高兴的王莽从此便不再强逼薛方出来做官。

适嵇命驾[1]，访戴操舟[2]。

【注释】

①适嵇命驾：典出《世说新语·简傲》。三国时期，吕安去拜访好友嵇康时，恰巧嵇康不在，于是嵇康的哥哥嵇喜代为招待。临别时，吕安在门上写了一个“凤”字，意指嵇喜是一只凡鸟。

②访戴操舟：典出《世说新语·任诞》。东晋书法家王徽之很想去拜访隐士戴逵，便连夜乘船赶往戴逵家，在到达戴逵家门口后，又因为兴致已尽而返航。

篆推史籀[1]，隶善钟繇[2]。

【注释】

①篆推史籀（zhòu）：典出《书断》。据说是周宣王时期的太史籀创造出了大篆这种字体。

②隶善钟繇：典出《笔阵图》。三国时期，最擅长隶书的人是

魏国书法家钟繇。

邵瓜五色[1]，李橘千头[2]。

【注释】

①邵瓜五色：典出《三辅黄图》。秦朝灭亡后，东陵侯成为平民，便以种瓜为生。据说他种出的瓜有五种颜色，很是好吃。

②李橘千头：典出《襄阳记》。三国时期，吴国大臣李衡在家乡种植了上千株柑橘，临终前告诉儿子，家乡有一千个不吃不喝的木头仆人，每年可以带来一千匹绢的收入。

芳留玉带[1]，琳卜金瓯[2]。

【注释】

①芳留玉带：典出《尧山堂外纪》。明朝大学士李春芳年轻时曾借读于崇明寺中，中状元后许诺进入内阁之时定会以玉带相赠。果然，进入内阁后，他让人给崇明寺送去了一条玉带。崇明寺为此兴建楼宇收藏，称为“玉带楼”。

②琳卜金瓯（ōu）：典出《次柳氏旧闻》。唐朝时期，唐玄宗每次任命宰相时，都要将他们的名字写在纸上，扣在金杯下。有一次，唐玄宗问太子杯下扣着的是谁的名字，太子回答是崔琳、卢从愿的名字，结果果真如此。

孙阳识马[1]，丙吉问牛[2]。

【注释】

①孙阳识马：典出《战国策·楚策》。春秋时期，秦人孙阳（伯乐）见车夫在抽打一匹拉着盐车的好马，便上前对着马大哭起来，那匹马以低头喷吐鼻气、仰头长嘶回应他。

②丙吉问牛：典出《汉书·丙吉传》。西汉大臣丙吉看到打架的人不去关心，而是去关心春季里热得喘粗气的牛，言明这才是他的职责所在。

盖忘苏隙[①]，聂报严仇[②]。

【注释】

①盖（gě）忘苏隙：典出《后汉书·盖勋传》。东汉时期，大臣梁鹄征询盖勋的意见，想要杀掉苏正和。盖勋和苏正和曾有间隙，却没有乘机报复，反而劝说梁鹄不要杀害苏正和。

②聂报严仇：典出《史记·刺客列传》。战国时期，刺客聂政因为母亲仍然在世，没有答应韩国大夫严仲子刺杀韩国相国侠累的请求，等母亲去世后，聂政履行约定杀了侠累，随后毁容自杀。

公艺百忍[①]，孙昉四休[②]。

【注释】

①公艺百忍：典出《旧唐书·孝友传》。张公艺离世前已经九世同堂，唐高宗问他家庭和睦相处的原因，他在纸上写了一百多个“忍”字。

②孙昉四休：北宋人孙昉自称“四休居士”。

钱塘驿邸[①]，燕子楼头[②]。

【注释】

①钱塘驿邸：典出《南唐近事》。宋朝学士陶谷在出使南唐的过程中表现得很傲慢，于是南唐大臣韩熙载安排妓女假扮官员女儿去驿站侍奉陶谷。陶谷送了妓女一首词，最终被呈到南唐后主李煜的手里，还当着陶谷的面让歌女演唱，一下子就打消了陶谷的傲气。

②燕子楼头：典出《燕子楼诗》。唐朝大臣张愔去世，他的侍妾关盼盼独守燕子楼，久久不愿离去，也不肯另嫁他人。

十二 侵

苏耽橘井[1]，董奉杏林[2]。

【注释】

①苏耽橘井：典出《桂阳列仙传》。南朝人苏耽成仙之前，因为预感到两年后要发生瘟疫，于是栽下一棵橘子树，挖了一口井，并将医治瘟疫的办法告诉了母亲。果然两年后发生了瘟疫，苏耽的母亲用儿子的方法治好了很多人。

②董奉杏林：典出《神仙传》。三国时期，吴国有个叫董奉的医生看病不收钱，唯一的要求就是让痊愈的病人种植杏树，后来就有了一片杏树林。这时，董奉就用杏交易谷子，用所得的谷子救济贫民和过路人。

汉宣续令[1]，夏禹惜阴[2]。

【注释】

①汉宣续令：典出《汉书·魏相传》。西汉时期，汉宣帝任命四位精通经史、阴阳的人，让他们掌管四季的时令。

②夏禹惜阴：典出《帝王世纪》。上古时期，大禹不喜欢价值连城的宝物，只对光阴备加珍惜。

蒙恬造笔[1]，太昊制琴[2]。

【注释】

①蒙恬造笔：典出《古今注》。秦朝大将蒙恬以枯木、鹿毛、羊毛等为原料，制造了毛笔。

②太昊制琴：典出《琴操》。据传，上古皇帝太昊制造了琴。这种琴长三尺六寸分，象征三百六十六个日夜，宽六寸，象征“六合”，设置琴弦五根，象征“五行”。

敬微谢馈[1]，明善辞金[2]。

【注释】

①敬微谢馈：典出《南齐书·高逸传》。南朝齐人宗测（字敬微）过隐居生活的时候，曾收到太子送来的厚礼，宗测以只想过平淡生活为由谢绝了。

②明善辞金：典出《辍耕录》。元朝时期，大臣元明善带领使者出使交趾，交趾人送给他们礼物，其他人都接受了，明善却为了保护大国的颜面谢绝了。

睢阳嚼齿[1]，金藏披心[2]。

【注释】

①睢（suī）阳嚼齿：典出《旧唐书·张巡传》。“安史之乱”期间，张巡驻守睢阳，每次和安禄山交战都会大喊大叫，把牙齿都咬碎了。张巡死后，人们发现他的嘴里只有三四颗牙了。

②金藏披心：典出《大唐新语》。武则天时期，有人诬告太子谋反，大臣安金藏为了证实太子的清白，不惜拔刀切腹，这才让武则天不再对太子存疑。

固言柳汁[1]，玄德桑阴[2]。

【注释】

①固言柳汁：典出《云仙杂记》。唐朝时期，李固言从柳树下经过时，被柳树的汁液染了衣服。不久之后，他考中了进士。

②玄德桑阴：典出《三国志·蜀书》。三国时期，刘备（字玄德）家附近长着一棵桑树，从远处看就像一顶伞盖，小时候的刘备便常跟伙伴们说：“长大后，我要坐这样的车。”

姜桂敦复[1]，松柏世林[2]。

【注释】

①姜桂敦复：典出《建炎以来系年要录》。南宋时期，秦桧让晏敦复收敛直言进谏的气势，晏敦复却不愿因为自己的前途而耽误

了国家，所以要学姜桂，越老越辣。姜桂，这里代指越是年老就应该越刚强。

②松柏世林：典出《世说新语·方正》。东汉末期，宗乘（字世林）自喻有松柏之志，所以不愿意和曹操交往。松柏，比喻坚强的品格。

杜预《传》癖[1]，刘峻书淫[2]。

【注释】

①杜预《传》癖：典出《语林》。西晋时期，学者杜预对《左传》的研究很有造诣，称自己有"《左传》癖"。

②刘峻书淫：典出《南史·刘峻传》。南朝梁文人刘峻喜好读书，对于稀世少见的作品，一定要借来阅读，所以被学者崔慰祖称为"书淫"。

钟会窃剑[1]，不疑盗金[2]。

【注释】

①钟会窃剑：典出《世说新语·巧艺》。三国时期，魏国大将钟会得知外甥荀勖的母亲，也就是自己的堂姐那里有一把价值连城的宝剑，就模仿荀勖的笔迹，把宝剑从堂姐的手里骗了过来。

②不疑盗金：典出《史记·万石张叔列传》。西汉时期，大臣直不疑因同住的人错拿了黄金，而被人污蔑偷盗，直不疑没有辩解就把自己的黄金给了失主。真相大白后，直不疑声名大噪。

桓伊弄笛[1]，子昂碎琴[2]。

【注释】

①桓伊弄笛：典出《晋书·桓伊传》。东晋时期，音乐家桓伊擅长笛子演奏，曾在河边为路过的名士王徽之吹奏曲子。

②子昂碎琴：典出《独异志》。唐朝诗人陈子昂当着很多观众的面，摔碎了一把价值千贯的胡琴，并且认为音乐不如文章，不值得用心，还将自己写的文章分发给围观的人。

琴张礼意[①]，苏轼文心[②]。

【注释】

①琴张礼意：典出《庄子·大宗师》。春秋时期，琴张（琴牢，字子张）和孟之反在子桑户的丧礼上弹琴唱歌，这就是他们所理解的礼法的意思，被孔子赞为脱离了世俗的人。

②苏轼文心：典出《春渚纪闻》。北宋文学家苏轼认为写文章要凭自己的心意，表达自己想表达的意思，并且觉得写文章是最让自己高兴的事情，是最大的乐趣。

公权隐谏[①]，蕴古详箴[②]。

【注释】

①公权隐谏：典出《旧唐书·柳公权传》。唐穆宗曾向柳公权询问书法的秘诀，柳公权则因唐穆宗作风荒唐，便隐晦地回答要首先端正自己的内心。

②蕴古详箴：典出《贞观政要》。唐朝时期，大臣张蕴古给皇帝呈奏了《大宝箴》，因为其中有“圣人以一人治天下，不能天下奉养一人”的句子，张蕴古希望以此警醒皇帝。

广平作赋[①]，何逊行吟[②]。

【注释】

①广平作赋：典出《唐诗纪事》。唐朝时期，大臣宋璟（字广平）曾经作著名的《梅花赋》。皮日休称赞《梅花赋》文辞艳丽，全然不像宋璟为人那样刚直。

②何逊行吟：典出《锦绣万花谷·别集》。南朝时期，扬州官署内有一棵梅树，大臣何逊常在梅树下吟咏。后来，何逊被调职到外地，因为想念那棵梅树而要求再回扬州任职。

荆山泣玉[①]，梦穴唾金[②]。

【注释】

①荆山泣玉：典出《淮南子·杂事》。春秋时期，楚国人卞和将

从荆山上找到的一块璞玉献给楚厉王。结果楚厉王不识玉，认为卞和在哄骗自己，于是砍去了卞和的双脚。卞和哭着说：我伤心的不是自己的脚，而是宝玉被当作石头。楚文王即位后，卞和再去献玉，楚文王发现璞玉中间藏着一块美玉，这块美玉后来雕成了著名的“和氏璧”。

②梦穴唾金：典出《述异记》。一位穿黄色衣服的船客在路过梦穴的时候往船上吐了一口唾沫，船夫生气地转头看时，发现唾沫竟然变成了黄金。

孟嘉落帽[①]，宋玉披襟[②]。

【注释】

①孟嘉落帽：典出《孟嘉别传》。东晋时期，孟嘉是大将军桓温的谋士。有一次，孟嘉的帽子被风吹掉了，可孟嘉竟然没有察觉，桓温命人写文章嘲笑了一番。没想到，孟嘉回复的文章文辞更加卓越，获得了大家的赞赏。

②宋玉披襟：典出《风赋》。战国时期，楚国人宋玉陪楚襄王游览兰台。一阵风吹过来，楚襄王敞开衣襟，称赞清爽的风舒服，是自己在和百姓共享。宋玉则讥讽道，百姓生活在贫困之中，所享用的风是有灰尘的，和楚襄王的并不一样。

沫经三败[①]，获被七擒[②]。

【注释】

①沫经三败：典出《史记·刺客列传》。春秋时期，齐国和鲁国对战，鲁国大夫曹沫被齐国打败了三次。随后，齐鲁修好。战败的曹沫也出席盟会，胁迫齐桓公将自己在战争中失去的土地归还给鲁国，齐桓公说到做到，真的在盟会后归还了所占的土地。诸侯们因此赞扬齐桓公即使是对自己被迫答应的事情，也能如约做到。

②获被七擒：典出《汉晋春秋》。三国时期，诸葛亮率军征讨南蛮，曾经七次擒获少数民族首领孟获，但每一次都放掉，直到孟

获主动表示归附蜀汉，不再造反。

易牙调味[1]，钟子聆音[2]。

【注释】

①易牙调味：典出《韩非子·十过》。春秋时期，齐国大臣易牙擅长调味且喜欢奉承君主，为了让齐桓公吃到蒸婴儿这道美食，竟然把自己的儿子蒸熟之后献给齐桓公品尝。

②钟子聆音：典出《吕氏春秋·孝行览》。春秋时期，俞伯牙善于弹琴，钟子期善于听琴。在钟子期死后，俞伯牙便不再弹琴，因为他觉得这世上再也没有能听懂自己琴音的人了。

令狐冰语[1]，司马琴心[2]。

【注释】

①令狐冰语：典出《十六国春秋·前凉录》。十六国时期，令狐策梦到自己站在结冰的河面上，并且还和冰面下的人说话。解梦的人说他是要为别人做媒了。果然，他很快就受邀为别人的儿子做媒。

②司马琴心：典出《史记·司马相如列传》。西汉时期，司马相如应邀去卓王孙府上饮宴并弹琴，琴音打动了卓王孙的女儿卓文君，最后二人趁着夜色私奔。

灭明毁璧[1]，庞蕴投金[2]。

【注释】

①灭明毁璧：典出《增广舆记》。春秋时期，教育家澹台灭明拿着一块价值不菲的玉璧过河。贪心的河伯想要这块玉璧，就故意搅起风浪，派出蛟龙。搏斗中，澹台灭明左手持璧，右手持剑，斩杀蛟龙，平息了风浪，顺利到达对岸，之后亲手毁掉了那块玉璧，彰显自己并非舍不得玉璧的意志。

②庞蕴投金：典出《金刚科仪》。唐朝时期，佛教徒庞蕴把全部的家财都放在一艘铁船上，任其沉到海底，以显示自己不贪恋俗世荣华的志向。

左思三赋[1]，程颐四箴[2]。

【注释】

①左思三赋：典出《晋书·左思传》。西晋时期，左思为蜀国、魏国和吴国的都城分别作赋，后来写成《三都赋》，连最初不看好左思的大文学家陆机都拍手称赞。

②程颐四箴：典出《四书章句集注》，北宋时期，理学家程颐为了警戒自己，写出关于视、听、言、动的四则箴言，被朱熹认为是学者们都应该遵循的行为规范。

十三　覃

陶母截发[①]，姜后脱簪[②]。

【注释】

①陶母截发：典出《世说新语·贤媛》。东晋大将军陶侃小时候家里很穷，他的母亲为了招待客人，用切碎的草垫喂客人的马，割下自己的头发卖掉为客人换来酒食。知道详情后的客人纷纷夸赞陶母的身教对陶侃的影响。

②姜后脱簪：典出《列女传·贤明传》。周朝时期，周宣王起床晚了，他的王后姜氏便摘下发簪，走进囚室等待处罚。周宣王最终没有处罚姜氏，但此后再也没有起晚过。周宣王勤于政务，推动着周朝走向中兴。

达摩面壁[①]，弥勒同龛[②]。

【注释】

①达摩面壁：典出《续高僧传》。南北朝时期，印度僧人达摩因与梁武帝在教义方面观念不合，便来到嵩山，面壁而坐，被后世称为“勘壁观”。

②弥勒同龛（kān）：典出《淳化阁帖》。唐朝书法家褚遂良写信给一个和尚，赞其修禅效果称得上是与弥勒同龛了。弥勒，佛教菩萨的名字。龛，供奉佛像的小阁子。

龙逄极谏[①]，王衍清谈[②]。

【注释】

①龙逄（páng）极谏：典出《韩诗外传》。面对夏桀荒淫无度的生活，大臣龙逄向夏桀进谏，劝说夏桀爱护百姓、节省开支、践行礼义，激怒了夏桀而被下令处死。

②王衍清谈：典出《晋书·王衍传》。西晋末期，王衍沉迷于清谈，被后人认为是导致西晋灭亡的原因之一。清谈，指空谈哲理。

青威漠北[1]，彬下江南[2]。

【注释】

①青威漠北：典出《史记·卫将军骠骑列传》。西汉武帝时期，卫青七征匈奴，立下赫赫战功，被汉武帝拜为大将军，封为长平侯。漠北，指匈奴地区。

②彬下江南：典出《涑水记闻》。北宋时期，曹彬在奉命征讨南唐前突然假装生病，让将士发誓只征讨南唐，不乱杀人。

遐福郭令[1]，上寿童参[2]。

【注释】

①遐福郭令：典出《太平广记·郭子仪》。唐朝时期，名将郭子仪（因战功封中书令，故世称郭令）在七夕夜见到空中出现了一位坐在车中的美女，认为是织女，便跪拜祈福。结果，郭子仪在中书令任上做了二十四年，并福及子孙，连曾跟随他出征作战的将领都被封为王公。

②上寿童参：典出《苏文忠公文集·童珪父参年一百二岁可承务郎致仕》。北宋时期，童参在一百零二岁的时候，宋仁宗效仿古代天子的做法，童参被授予了官位。

郗愔启箧[1]，殷羡投函[2]。

【注释】

①郗愔（xī yīn）启箧（qiè）：典出《中兴书》。东晋时期，郗愔早亡的儿子郗超留给他一个匣子，里面都是郗超和桓温为了谋权篡位的通信。郗愔是个忠于东晋朝廷的人，看了信件之后，便不再为儿子的离世悲痛了。

②殷羡投函：典出《世说新语·任诞》。东晋时期，殷羡要去豫章郡做太守，途中将很多住在京城的豫章人托他带回的家信，全

都扔到路边的水里，因为自己是去赴任，不能给人带信。

禹偁敏赡[①]，鲁直沉酣[②]。

【注释】

①禹偁（chēng）敏赡：典出《名臣碑传琬琰集·毕文简公士安传》。北宋时期，王禹偁小时候曾在替父亲给当时的知州毕士安送面的时候，脱口对出了毕士安给儿子们出的上联，毕士安夸赞他是个敏捷博学的孩子。敏赡，敏捷博学。

②鲁直沉酣：典出《苏轼文集·记黄鲁直语》。北宋时期，黄庭坚（字鲁直）对于经史非常的沉迷。他曾经宣称士大夫必须每日读书，以保持对礼义的认识水平，保持与人说话时的趣味性。

师徒布算[①]，姑妇手谈[②]。

【注释】

①师徒布算：典出《佛祖通载》。唐朝时期，僧人一行来到环境清幽的天台山国清寺门外，听门内一个正在布算筹（计算工具）的僧人对徒弟说："门外有人正等着求教算法。"一行人听后赶紧进去，拜这个僧人为师。

②姑妇手谈：典出《桂苑丛谈》。唐代国棋手王积薪，曾随唐玄宗西行，途中在一户农家借住。到了晚上，农家的婆媳俩都没有点蜡烛，以手谈的方式对弈，结果婆婆赢了九子。王积薪向她们学习，从而棋艺大进。手谈，下围棋的时候不说话，只依靠手指运作棋子，和手语差不多，所以叫"手谈"。

十四　盐

风仪李揆[1]，骨相吕岩[2]。

【注释】

①风仪李揆：典出《刘宾客嘉话录》。唐朝时期，大臣李揆不但拥有美妙的仪态，而且善于写作有文采的奏疏，被唐德宗赞为门第、人物、文章方面的佼佼者。

②骨相吕岩：典出《浔阳摭醢（zhí hǎi）》。唐末至五代时期，吕岩（即吕洞宾）的骨相奇特，后在游庐山时拜神仙钟离真人为师，向他学习剑法。骨相，古人认为可以从骨骼的相位中看出一个人的命运。

魏牟尺缌[1]，裴度千缣[2]。

【注释】

①魏牟尺缌（xǐ）：典出《新论》。战国时期魏国人魏牟拜见赵王时，碰到工匠正在给赵王做帽子，于是劝说赵王，治理国家就应该像做帽子一样，选用贤能的人，而不是自己喜欢的人，否则就是把治理国家看得还没有做帽子重要。

②裴度千缣：典出《新唐书·皇甫湜（shí）传》。皇甫湜生性桀骜不驯，他为福先寺写了三千字的碑文，大臣裴度给了他很多的报酬，可他认为他的字一个就要三缣（细绢），所以嫌裴度给的报酬太少。

孺子磨镜[1]，麟士织帘[2]。

【注释】

①孺子磨镜：典出《海内士品》。东汉人黄琼曾经举荐徐稚（字孺子）出来做官，但徐稚没有应允。黄琼去世后，为了前去参加

他的葬礼，生活拮据的徐稚随身带着磨镜的工具，靠做工赚钱换取路费。

②麟士织帘：典出《南史·隐逸传》。沈麟士是南朝齐国著名的教育家，因为幼年家境贫穷，他不得不一边织帘子一边看书，所以被同乡称为“织帘先生”。

华歆逃难[1]，叔子避嫌[2]。

【注释】

①华歆逃难：典出《世说新语·德行》。东汉末年，华歆和王朗乘船逃难时，搭载了一个过路人。后来贼兵追上来，尽管情势危急，华歆也没有因此丢下路人，而是带着路人一起逃难了。

②叔子避嫌：典出《诗传》。春秋时期鲁国人颜叔子自己住在一间房子里，后来邻居家的房子因为大雨倒塌，邻家的女子就来颜叔子这里避雨。颜叔子为了避嫌，就交替点燃蜡烛、火把一直到天亮。

盗知李涉[1]，虏惧仲淹[2]。

【注释】

①盗知李涉：典出《云溪友议》。李涉是唐朝著名的文人，他在一次外出旅行时遇到了盗贼，当这个盗贼知道对方是著名的诗人李涉时，便让李涉写一首诗赠给他们。

②虏惧仲淹：典出《谈苑》。范仲淹代替接连战败的范雍镇守延州（治所位于今陕西延安），西夏人知道后，心里非常惧怕，都不敢前来进犯了。虏，指西夏人。

尾生岂信[1]，仲子非廉[2]。

【注释】

①尾生岂信：典出《庄子·盗跖（zhí）》。春秋时期鲁国人尾生和女子相约桥下，但女子没有按时到来，这个时候恰巧发了洪水，尾生不愿担负失信的名声，抱着桥礅等候，一直到淹死在桥下。尾

生的行动，在儒家看来是因小失大的行为，不能算是守信。

②仲子非廉：典出《孟子·滕文公》。战国时期齐国隐士陈仲子（即陈定）的哥哥为官，享有丰厚的俸禄。仲子认为这是不义之财，于是带着妻子离去了，只把父母留给了兄长赡养。在儒家看来，像陈仲子这样为表现自己清廉而抛却亲情的行为，不能算是廉洁。

由餐藜藿①，鬲贩鱼盐②。

【注释】

①由餐藜藿（lí huò）：典出《孔子家语》。孔子的弟子仲由年轻时家境非常贫寒，每顿饭只吃得起藜藿（野菜）这样的食物，还要到非常远的地方去背米。后来，仲由当上了楚国的高官，衣食无忧时回想贫寒的过去，叹息再也回不到过去了。

②鬲（gé）贩鱼盐：典出《吕氏春秋·慎大览》。商朝末期，政治陷入混乱不堪的局面中，胶鬲虽然很有才华却得不到施展，只能以卖鱼盐为生。

五湖范蠡①，三径陶潜②。

【注释】

①五湖范蠡：典出《国语·越语》。春秋时期楚国人范蠡在帮助越王勾践实现灭亡吴国的夙愿后，辞官带着自己的家人隐居在五湖（现在的太湖）地区。越王则用黄金为范蠡塑像，如同礼遇真人一样对待塑像。

②三径陶潜：典出《归去来辞》。东晋人陶潜在诗里写道，门前的小路已经渐渐荒废，只有松树和菊花还与以前一样茂盛。三径，代指隐居的田园。

徐邈通介①，崔郾宽严②。

【注释】

①徐邈通介：典出《三国志·魏书》。三国时期魏国官员徐邈是个通达清直的人，不会为了追求清廉朴素的外在形象而主动迎

合、做出改变，也不会为了附和奢侈之风而改变自身的风格，所以才有了通达、清直的名声。

②崔郾（yǎn）宽严：典出《新唐书·崔郾传》。崔郾做官时，以宽容的方式对待土地贫瘠、百姓劳苦的地区，以严厉的态度对待土地肥沃、民风强悍的地区。也就是说，官员要根据实际情况的变化制定相应的措施，才能让自己官途稳固。

易操守剑[1]，归罪遗缣[2]。

【注释】

①易操守剑：典出《先贤行状》。东汉人王烈的同乡偷牛，王烈念他还有改过之心，便送给他一匹布。后来，一个老人在路上丢了一把剑，有人看到后便在原地守候，直到老人前来寻找。之后有人查到这个拾到宝剑的人，正是王烈那个偷牛的同乡。

②归罪遗缣（wèi jiān）：典出《后汉书·陈寔（shí）传》。陈寔晚上读书时，发现了躲在房梁上的小偷，不仅没有责怪他，还送给了他两匹绢。

十五　咸

深情子野[1]，神识阮咸[2]。

【注释】

①深情子野：典出《世说新语·任诞》。东晋人桓伊（字马野）喜欢音乐，每次听到清亮的音乐时，都会发出带着深切感情的感叹声。

②神识阮咸：典出《晋书·阮咸传》。阮咸擅长音乐，总说宫廷音乐有些不和谐，这让创作这些音乐的荀勖非常不高兴。后来，他用周朝的玉尺校正自己作曲的乐器，发现果然像阮咸说的那样。荀勖从此一直称赞阮咸对音乐拥有如神仙一样的见识。

公孙白纻[1]，司马青衫[2]。

【注释】

①公孙白纻（zhù）：典出《左传·襄公二十九年》。季札受吴王差遣出使郑国，与郑国大臣公孙侨一见如故，季札送给公孙侨一条缟质的腰带，公孙侨送给季札一件白纻做成的衣服。

②司马青衫：典出《琵琶行》。白居易任江州司马期间，创作了著名的《琵琶行》。当时，司马的官服是一种青色的衣服，代表着八九品的官级。

狄梁被谮[1]，杨亿蒙谗[2]。

【注释】

①狄梁被谮（zèn）：典出《大唐新语》。狄仁杰（世称“狄梁公”）在汝南做官时，有人向武则天说了他的坏话，但武则天和狄仁杰都没有重视它，甚至后来狄仁杰做宰相后，都不想知道是谁说了自己的坏话。

②杨亿蒙谗：典出《耆旧续闻》。北宋大臣杨亿不断遭到御史的攻击，杨亿不堪其扰，于是便向皇帝辞官。

布重一诺[1]，金慎三缄[2]。

【注释】

①布重一诺：典出《汉书·季布栾布列传》。季布是西汉官员，楚地传说“百两黄金，都不如季布的一句承诺”，相传是辩士曹丘生帮助季布宣传的结果。为此，季布给了曹丘生很多财物作为酬谢。

②金慎三缄（jiān）：典出《说苑·敬慎》。周王室的祖庙里有一座金人，嘴上贴着封条，背后刻着铭文：不要多说话，说多就会错；不要多管事，多管就会闯祸；不要多享乐，否则连后悔的机会都没有。孔子认为这些话实实在在而又符合情理。

彦升非少[1]，仲举不凡[2]。

【注释】

①彦升非少：典出《南史·任昉传》。任昉（字彦升）是南朝梁代文学家，擅长写文章，被褚渊称赞为“像这样的儿子，即使有一百个也不嫌多，即使只有一个也不嫌少”。

②仲举不凡：典出《后汉书·陈蕃传》。陈蕃（字仲举）十五岁在有宾客到访时，仍然任庭院中的野草继续疯长，宾客问他，他说出了“大丈夫应该把精力放在平天下上，而不能放在一间屋子里”的话，让宾客看到了他的不凡之处。

古人万亿，不尽兹函[1]。

【注释】

①古人万亿，不尽兹函：能够讲述的古人故事实在太多，这一本书是无法穷尽的。